"**MUDE**

SUAS PALAVRAS,

MUDE

SUA **VIDA**"

JOYCE MEYER

"MUDE SUAS PALAVRAS, MUDE SUA VIDA"

ENTENDA O PODER DE CADA PALAVRA QUE VOCÊ DIZ

1.ª Edição
Belo Horizonte

Edição publicada mediante acordo com FaithWords, New York, New York. Todos os direitos reservados.

Diretor
Lester Bello

Autor
Joyce Meyer

Título Original
Change your words, Change your life

Tradução
Maria Lucia Godde Cortez /
Idiomas & Cia

Revisão
Ana Lacerda, Luísa Calmon/
Elizabeth Jany/Idiomas & Cia

Diagramação
Julio Fado

Design capa (adaptação)
Fernando Rezende

Impressão e acabamento
Promove Artes Gráficas

Rua Major Delfino de Paula, 1212
Bairro São Francisco, CEP 31.255-170
Belo Horizonte/MG - Brasil
contato@belloeditora.com
www.belloeditora.com

Copyright desta edição
© 2012 by Joyce Meyer
FaithWords Hachette Book Group
New York, NY

Publicado pela
Bello Comércio e Publicações Ltda-ME
com a devida autorização de
Hachette Book Group e todos
os direitos reservados.

Primeira edição — Agosto de 2015
Primeira Reimpressão — Fevereiro de 2016

Todos os direitos reservados. Nenhuma parte desta publicação poderá ser reproduzida, distribuída ou transmitida sob qualquer forma ou meio ou armazenada em base de dados ou sistema de recuperação, sem a autorização prévia por escrito da editora.

Exceto em caso de indicação em contrário, todas as citações bíblicas foram extraídas da Bíblia Sagrada The Amplified Bible (AMP) e traduzidas livremente em virtude da inexistência dessa versão em língua portuguesa. Quando a versão da AMP correspondia com o texto da Almeida Revista e Atualizada, esse foi o texto utilizado nos versículos fora dos colchetes. Outras versões utilizadas: ARA (Almeida Revista e Atualizada, SBB), NVI (Nova Versão Internacional, Editora Vida) e ABV (A Bíblia Viva, Mundo Cristão).

Dados Internacionais de Catalogação na Publicação (CIP)

M612
Meyer, Joyce
Mude suas palavras, mude sua vida: entenda o poder de cada palavra que você diz / Joyce Meyer; tradução de Maria Lucia Godde Cortez / Idiomas & Cia. - Belo Horizonte: Bello Publicações, 2016.
256p.
Titulo original: Change your words, change your life

ISBN: 978-85-8321-024-5

1. Poder das palavras. 2. Impacto das palavras. 3. Palavra de Deus. I. Titulo

CDD: 234.2   CDU: 230.112

Palavras podem envenenar, palavras podem curar.
Palavras iniciam e travam guerras, mas também firmam acordos de paz.
Palavras levam os homens aos pináculos do bem
E podem mergulhá-los nas profundezas do mal.

— Marguerite Schumann

SUMÁRIO

Introdução 9

PARTE 1

Capítulo 1: O Impacto das Palavras 13
Capítulo 2: Dome Sua Língua 25
Capítulo 3: Aprenda a Dizer o que Deus Diz 33
Capítulo 4: As Características de um Cristão Maduro 45
Capítulo 5: O Que Você Quer no Futuro? 55
Capítulo 6: Permaneça Forte Durante as Tempestades
    da Vida 69
Capítulo 7: Derrote Seus Inimigos 77
Capítulo 8: Quão Feliz Você Deseja Ser? 87
Capítulo 9: Palavras que Entristecem o Espírito Santo 97
Capítulo 10: Jejum de Palavras 107
Capítulo 11: Não Fale o que é Mau 115
Capítulo 12: Declare Fé e Não Medo 123
Capítulo 13: Não Reclame 137

Capítulo 14: Palavras de Encorajamento 147
Capítulo 15: O Amor Ouve e Fala 159
Capítulo 16: Não Permita que o Diabo Fale Através de Você 167
Capítulo 17: Você Realmente Precisa Dar a Sua Opinião? 179
Capítulo 18: Diga Algo Bom ou Simplesmente Não
             Diga Nada 187
Capítulo 19: Palavras Gentis 195
Capítulo 20: Cumprindo a Sua Palavra 205
Capítulo 21: Vigie a Sua Boca 215
Capítulo 22: Você Quer Mudar Sua Vida? 225

Apêndice: Dicionário da Palavra de Deus 233

INTRODUÇÃO

A maioria de nós não percebe o quanto as palavras são poderosas e o enorme impacto que exercem sobre nossas vidas. Pense nisso. Até mesmo duas sílabas simples — *da-da* — são poderosas o bastante para fazer um homem adulto chorar quando são pronunciadas pela primeira vez pelo seu bebê.

Creio que as palavras contêm um poder tremendo: pode ser um poder positivo e construtivo ou um poder negativo e destrutivo.

Em Gênesis, lemos que Deus usou palavras para criar o mundo em que vivemos. A Bíblia diz em Provérbios 18:21 que *o poder da vida e da morte está na língua*. Essa é uma afirmação impressionante sobre a qual deveríamos refletir com seriedade. Cada vez que pronunciamos palavras, estamos declarando vida ou morte àqueles que nos ouvem e a nós mesmos. Por essa razão, precisamos ser cautelosos com relação às palavras que dizemos.

Nossa boca expressa o que queremos, pensamos e sentimos; portanto, revela muito a respeito daquele que fala. Podemos aprender muito sobre nós mesmos simplesmente ouvindo o que dizemos. Mateus 12:34-35 diz que "a boca fala do que está cheio o coração. O homem bom tira do tesouro bom coisas boas; mas o homem mau do mau tesouro tira coisas más". Nossas palavras são resultado dos pensamentos e das atitudes que cultivamos dentro de nós. Pode-se dizer que as nossas palavras representam uma tela de cinema que revela o que pensamos e as atitudes internas que temos.

Creio que as nossas palavras podem fazer com que nos sintamos mais felizes ou menos felizes. Podem afetar as respostas às nossas orações e ter um efeito positivo ou negativo sobre o nosso futuro. Deveríamos prestar muita atenção no que a Palavra de Deus tem a nos ensinar sobre o poder das nossas palavras. Quando uma pessoa está insatisfeita com sua vida, algo sensato a se fazer é um levantamento das palavras que têm saído de seus lábios.

Deus tem um bom plano para cada um de nós, mas isso não acontecerá automaticamente sem a nossa cooperação. Somos parceiros de Deus nesta vida, e Ele quer que estejamos de acordo com o que Ele diz sobre nós na Sua Palavra. Ao ler este livro, creio que você passará a perceber que mudando suas palavras, você poderá mudar sua vida.

PARTE 1

CAPÍTULO
1
O Impacto das Palavras

Therese era uma excelente funcionária, amiga e colega. Todos no escritório a amavam — desde seus patrões até à faxineira. Ela sempre tinha uma palavra gentil para todos. Uma de suas maiores qualidades era sua incrível capacidade de ajudar as pessoas a se sentirem bem com elas mesmas. Ela podia fazer alguém cujos sentimentos foram feridos se sentir como se fosse a melhor coisa na terra desde a invenção do pão em fatias. Podia fazer com que uma colega insegura se sentisse um gênio. Seu senso de humor sempre elevava o humor dos outros e os fazia rir, ainda que estivessem entediados ou infelizes. E não era só isso, ela era inteligente — muito inteligente. Durante seus cinco anos naquele emprego, Therese recebeu três promoções e seu chefe havia lhe dito recentemente que ela estava caminhando a passos largos para uma posição administrativa. Se as coisas continuassem indo assim, ela podia até chegar à vice-presidência dentro de apenas alguns anos.

Certa noite, enquanto trabalhava até mais tarde em um projeto, ela descobriu que seu chefe havia feito uma escolha ruim de palavras em um discurso que havia escrito e pedido a ela para revisar. Ele havia incluído uma brincadeira tola que alguns poderiam considerar ofensiva. Therese pegou o telefone para enviar uma mensagem de voz para ele dizendo o que ela pensava. "Que ideia foi essa, chefe?" Disse ela. "Você não sabe que o diretor geral detestará essa piada? E ele não tem senso de humor."

Infelizmente, em vez de enviar a mensagem de voz para seu chefe, Therese inadvertidamente pressionou um botão que enviou a mensagem de voz para todos os funcionários da companhia. Na manhã seguinte, o circo estava armado. Embora Therese não tenha sido demitida, ela não conseguiu aquela promoção — nem a seguinte. O apertar de um botão havia selado seu futuro na empresa.

Esse é um caso extremo, mas há muitos incidentes hoje com consequências muito maiores. As crianças não implicam mais umas com as outras; elas praticam *bullying*, e o *bullying* não é uma exceção entre os alunos — é a norma. Não acontece apenas na escola ou no parque; acontece na internet também. Na verdade, uma nova palavra entrou no nosso vocabulário: *cyberbullying* (ou o *bullying* cibernético). O Facebook é hoje muitas vezes usado como uma arma.

Nunca na história do mundo as palavras foram tão baratas, rápidas, irrevogáveis e virais. Através dos telefones celulares e da internet, temos hoje mensagens de texto, *e-mails*, mensagens instantâneas, blogues, *Facebook, Twitter* e *YouTube*. Além disso, temos o rádio, a televisão e a mídia impressa. As palavras estão viajando pela atmosfera como nunca antes. Desde junho de 2010, 77,2% de todos os norte-americanos utilizam a internet (267 milhões de pessoas). Um quarto da população mundial está *on-line*. Quarenta e um por cento de todos os norte-americanos mantêm ativamente uma página de perfil no *Facebook*, o que gera um *bilhão* de publicações de conteúdo todos os dias. O número dos norte- americanos que conhecem o Twitter explodiu de 5% em 2008 para 87% em 2010 e a esta altura os números são ainda maiores. Em 2010, mais de 17 milhões de norte-americanos usavam o *Twitter* e a média de postagens por dia somente nos Estados Unidos era de 15,5 milhões.

Obviamente, existem bons usos para todas essas formas de comunicação; entretanto, há muitas consequências perturbadoras, incluindo o *bullying on-line* que leva adolescentes ao suicídio, o roubo de identidade, o risco da segurança de crianças, o vício em pornografia e a destruição de carreiras. Candidatos perdem vagas de emprego em consequência do mau comportamento exibido no *Facebook*; funcionários enviam *e-mails* desavisados sem pensar.

Pessoas destroem relacionamentos digitando seus pensamentos mais secretos em *e-mails* e depois pressionando *Enviar* antes de perceberem o quanto a mensagem era reveladora. Por causa da quantidade de informação disponível nos dias de hoje, simplesmente não existe mais privacidade. Infelizmente, qualquer um pode dizer qualquer coisa sobre alguém — quer seja verdade ou não — e lá está a informação flutuando no ciberespaço esperando simplesmente que alguém a acesse. A reputação das pessoas é destruída pelo que é dito pelos outros, ainda que essas palavras não tenham qualquer vestígio de verdade. Poderíamos dizer que estamos passando por uma "explosão de palavras", e ainda veremos os danos causados por ela, a não ser que as pessoas aprendam o poder das palavras e se comprometam a usá-las de acordo com o padrão estabelecido por Deus.

Engolimos Nossas Palavras...

Estou certa de que você já ouviu alguém dizer "Você vai engolir o que disse". Isso pode parecer uma simples frase para nós, mas a verdade é que de fato engolimos nossas palavras. O que dizemos afeta não apenas os outros, mas também a nós.

As palavras são maravilhosas quando usadas da maneira adequada. Podem encorajar, edificar e dar confiança a quem ouve. Uma palavra certa dita na hora certa pode realmente transformar a vida de alguém.

> O homem tem alegria em dar uma resposta adequada, e a palavra dita na hora certa — quão boa ela é!
>
> — Provérbios 15:23

Podemos literalmente fazer com que nos sintamos mais felizes e satisfeitos dizendo as palavras certas. Também podemos nos angustiar falando desnecessariamente sobre os nossos problemas ou sobre as coisas que nos magoam em nossos relacionamentos. Há pouco tempo me decepcionei com alguém que considerava ser uma amiga próxima e percebi que todas as vezes que eu falava sobre aquilo, eu tinha dificuldade em tirar o assunto da minha mente durante o restante do dia. Por fim percebi que se quisesse superar o assunto, eu teria de parar de reviver a história mental e verbalmente vez após vez. As pessoas ficavam me perguntando sobre a situação porque estavam genuinamente preocupadas, mas finalmente entendi o que eu precisava responder: "É melhor para mim simplesmente não falar sobre esse assunto".

As palavras que saem da nossa boca também entram nos nossos ouvidos assim como nos ouvidos das outras pessoas, e então ecoam no fundo da nossa alma, onde produzem alegria ou tristeza, paz ou angústia, dependendo do tipo de palavras que dizemos. Nossas palavras podem até mesmo oprimir o nosso espírito. Deus deseja que nosso espírito seja leve e livre para que possa funcionar adequadamente, e não pesado e oprimido.

Quando entendemos o poder das palavras e percebemos que podemos escolher o que pensamos e dizemos, nossas vidas podem ser transformadas. Nossas palavras não nos são impostas; são formuladas nos nossos pensamentos e depois nós as pronunciamos. Podemos aprender a escolher nossos pensamentos, a resistir aos que são maus e a pensar naqueles que são bons, saudáveis e corretos. Onde a mente vai, o homem vai atrás. Também poderíamos dizer que onde a mente vai, a boca vai atrás!

Você nem sequer precisa estar falando com alguém para se sentir mais feliz graças às suas palavras. A mera confissão de coisas boas é suficiente para deixá-lo mais animado. Escrevi muitas coisas sobre o poder de confessar a Palavra de Deus em voz alta, e continuarei a fazer isso porque essa foi uma das coisas mais úteis que fiz em minha vida.

Quando se levantar pela manhã, se houver algo que você precisa fazer naquele dia e que está muito animado para realizar, você pode dizer: "Detesto este dia" ou você pode dizer: "Deus me dará forças hoje para fazer tudo o que for preciso fazer e para fazê-lo com alegria". Qual dessas duas afirmações você acha que o prepararia melhor para o dia?

"A língua serena é árvore de vida", diz Provérbios 15:4. De acordo com a Bíblia, Deus deu aos Seus filhos uma nova natureza, por meio da qual somos ensinados a renovar diariamente nossa mente e nossa atitude. Ter uma perspectiva positiva da vida e dizer palavras positivas são duas das coisas mais benéficas que podemos fazer por nós mesmos.

> Cada um se farta do bem pelo fruto da sua boca.
> — Provérbios 12:14a

> Do fruto da boca o homem comerá o bem.
> — Provérbios 13:2a

> O ser [moral] do homem se fartará do fruto da sua boca; e da consequência das suas palavras ele se satisfará [quer seja bom ou mau].
> — Provérbios 18:20

Portanto Escolha Seu Alimento Cuidadosamente

Qualquer pessoa que queira ser saudável deve escolher cuidadosamente alimentos de qualidade que lhe forneçam uma boa nutrição. Se quisermos ser saudáveis na alma e no espírito, também devemos escolher ingerir palavras que nos edifiquem e aumentem nossa paz e alegria. Como vimos, engolimos nossas palavras, e podemos dizer sem medo de errar que elas são alimento para as nossas almas.

O mundo está cheio de más notícias. Ligue a tevê em qualquer canal de notícias ou compre qualquer jornal ou revista e você encontrará milhares de relatos de assassinatos, roubos, guerras, fome e todo tipo de eventos terríveis e trágicos. E embora essas coisas prevaleçam no mundo de hoje, realmente desejo de todo o coração que tivéssemos alguns canais e jornais de "Boas Notícias". Creio que existem muitas coisas boas acontecendo do mundo e provavelmente há mais bem do que mal, mas o mal está sendo proclamado de uma maneira que muitas vezes parecemos estar sendo massacrados. Embora desejemos saber o que está acontecendo no mundo, não deveríamos ter uma dieta constante de "más notícias", mas deveríamos escolher ler, assistir e falar sobre coisas boas.

Felizmente, não temos de esperar que outra pessoa nos coloque para cima! Podemos fazer isso com nossas próprias palavras através daquilo que escolhemos falar. Recentemente entrei em uma sala e ouvi um grupo de pessoas falando sobre diversos negócios que haviam recentemente decretado falência. Então, elas mencionaram outros dois que tinham ouvido dizer que estavam prestes a decretar falência. Senti um peso sombrio na atmosfera, por isso eu disse: "Bem, Deus não está falido e Ele está do nosso lado". Imediatamente a atmosfera mudou e todos concordaram comigo.

Não estou sugerindo de modo algum que neguemos a realidade, mas podemos escolher o que queremos falar. Se não estamos ajudando a nós mesmos ou a qualquer outra pessoa repetindo todas as coisas ruins que acontecem no mundo, então por que elas devem ser o tema das nossas conversas? Entendo que precisamos falar até certo ponto sobre como as coisas andam no mundo. Queremos estar bem informados acerca do que está acontecendo. Não há sabedoria em ser ignorante nem em ser apanhado de surpresa, mas falar excessivamente sobre isso ou sem qualquer propósito irá apenas criar uma atmosfera sombria que não agradará a ninguém.

Pensando Naquilo Que Você Diz

Falamos muito e muitas vezes não prestamos atenção ao que estamos dizendo, e pensamos com menos seriedade ainda no impacto das nossas palavras. Quero encorajá-lo a reservar algum tempo para pensar nos tipos de coisas sobre as quais você costuma falar. Que tipo de conversas você gosta de ter e de que tipo de conversas participa? Se formos sinceros com nós mesmos, podemos descobrir que uma boa parte do nosso mau humor está ligada diretamente às nossas conversas. Até alguns dos nossos problemas podem estar ligados às más escolhas feitas por nós em relação ao que dizemos. À medida que avançarmos neste livro, você aprenderá que as palavras têm tanto poder que são capazes de criar situações em nossas vidas. Por exemplo, se um homem diz continuamente: "Não consigo controlar meu apetite", ele acreditará que não realmente não pode e, portanto, não o controlará. Se uma mulher diz: "Nunca terei dinheiro nem nada de valor", ela pode acabar vivendo em um padrão muito abaixo daquele que Deus deseja simplesmente porque ela nem sequer tentou melhorar. Acreditamos mais no que dizemos do que no que qualquer outra pessoa nos diz. Isso é muito importante, de modo que quero repeti-lo: Você acredita no que você diz mais do que acredita no que os outros lhe dizem. Pense nisso. Quando alguém o elogia e você está usando um vestido do qual não gosta muito, e seu cabelo não está bom naquele dia, você acredita nisso? Ou você acredita naquela vozinha sutil dentro de você que diz: "Ela está apenas sendo gentil, porque você não está bem hoje; está péssima".

Se dissermos algo muitas vezes seguidas — silenciosamente no nosso coração ou verbalmente — acreditaremos nisso quer seja verdade ou não. E a Bíblia nos ensina que recebemos aquilo que cremos. Todas as promessas de Deus são recebidas quando cremos nelas. Na verdade, *crer* significa "receber", e *receber* significa "crer". Crer e receber são como irmãos siameses. Os dois não podem ser separados. O que acreditamos se torna a nossa realidade!

Dedicar um pouco de tempo no final de cada dia e pensar sobre o que falamos ao longo dele é um ótimo exercício. Com certeza, todas as vezes que nos sentimos um pouco aborrecidos, deveríamos nos perguntar imediatamente: "Sobre o que tenho falado?" Nossas palavras não causam todos os nossos problemas, mas causam uma boa parte deles e deveríamos dar a elas muita atenção quando procuramos respostas para os problemas que enfrentamos. Todos nós temos desafios na vida, mas podemos torná-los melhores ou piores dependendo da maneira como falamos sobre eles.

Que tipo de conversa você tem ao redor da mesa de almoço no trabalho? E enquanto está indo para o escritório com um ou mais colegas de trabalho? E quando está conversando com amigos em uma reunião social? Por que não decidir a cada dia antes mesmo de sair de casa que você só irá falar sobre coisas que o beneficiem e todos os que estiverem ouvindo? Considerando que temos o poder de tornar nosso dia melhor, seria uma grande tolice se não o fizéssemos.

Deixe-me dizer claramente que não acredito que possamos mudar todas as circunstâncias ao nosso redor e transformá-las em algo agradável fazendo confissões positivas, mas realmente acredito que muitas delas mudarão de acordo com a vontade de Deus. Quero apenas ensiná-lo a estar em concordância com Deus e a aprender a dizer o que Ele diz. Por exemplo, Deus nunca diria: "Não consigo lidar com essa situação; é difícil demais e vou desistir". Talvez neste momento você esteja pensando: *bem, é óbvio que Deus não diria isso!* E por que você diz então? Deus está no controle, e não nós; entretanto, podemos cooperar com a Sua vontade ou impedi-la concordando ou discordando da Sua Palavra. Uma coisa é certa: falar negativamente pode lhe fazer mal, mas falar positivamente nunca fará isso, então por que não escolher ser positivo e ver o que acontece?

A Semeadura e a Colheita

Na Bíblia aprendemos o princípio da semeadura e da colheita. Começando em Gênesis, Deus nos ensina que enquanto a terra existir haverá semeadura e colheita. Podemos facilmente entender que ao plantar uma semente o agricultor espera colher algo, mas precisamos entender melhor o que vou chamar aqui de a "semente espiritual". Podemos ver uma semente de tomate com nossos olhos e entender o processo que envolve plantar e esperar uma colheita de tomates. Não podemos ver atitudes, pensamentos ou palavras, mas eles também são sementes que atuam na dimensão espiritual (invisível) e também produzem uma colheita com base no que foi plantado.

Se uma pessoa semeia continuamente pensamentos, atitudes e palavras negativas, ela produzirá muitos resultados negativos em sua vida. Do mesmo modo, se ela semeia pensamentos, atitudes e palavras positivas e cheias de vida, verá resultados bons e positivos. Jesus disse que as Suas palavras são espírito e vida (ver João 6:63).

Como já disse, nossas palavras nos afetam assim como afetam aquele que as ouvem. Elas tocam nossa alma e nosso espírito e podem produzir uma colheita no nosso corpo físico. Por exemplo, se alguém me dissesse algo extremamente detestável e maldoso, isso afetaria minhas emoções e minha mente, o que por sua vez poderia se transformar em uma tristeza que poderia transparecer na minha fisionomia. Do mesmo modo, se alguém me diz algo edificante e encorajador, isso afeta minha mente e minhas emoções de forma positiva, colocando um sorriso em meu rosto, e muitas vezes posso sentir um fluxo extra de energia percorrendo meu corpo. Somos energizados por palavras positivas e enfraquecidos por palavras negativas. As palavras podem nos deixar irados ou podem nos acalmar; portanto, elas certamente têm poder.

Um conferencista estava falando sobre o poder do pensamento positivo e o poder das palavras.

Um dos membros da plateia ergueu a mão e disse: "Não é dizer 'boa sorte, boa sorte, boa sorte' que vai fazer com que eu me sinta melhor. Nem dizer 'má sorte, má sorte, má sorte' que vai fazer com que eu me sinta pior. São apenas palavras que não têm poder algum em si mesmas".

O conferencista respondeu: "Cale a boca, seu tolo, você não entende nada desse assunto". O homem ficou perplexo. Seu rosto ficou vermelho e ele foi tentado a responder: "Seu @#$%&*@#$!" [algo que não posso dizer neste livro].

O conferencista ergueu a mão: "Por favor, perdoe-me. Não tive a intenção de ofendê-lo. Por favor, aceite minhas desculpas sinceras". O homem acalmou-se. Algumas pessoas no salão murmuravam; outras sacudiam as pernas nervosamente.

O conferencista disse: "Aí está a resposta à pergunta que o senhor me fez. Algumas poucas palavras o deixaram furioso. Outras palavras o acalmaram. Agora o senhor entende *o poder das palavras?*"

Gostaria que você refletisse com seriedade na seguinte passagem da Bíblia, pois ela também nos mostra o poder das palavras:

> Porque assim como descem a chuva e a neve dos céus e para lá não tornam, sem que primeiro reguem a terra e a fecundem, e a façam brotar, para dar semente ao semeador e pão ao que come.
> Assim será a palavra que sair da Minha boca; não voltará para Mim vazia, mas fará o que Me apraz e prosperará naquilo para que a designei.
>
> — Isaías 55:10-11

A Palavra de Deus nos ensina um princípio muito importante: assim como a semente natural gera uma colheita, a Palavra de Deus também faz o mesmo. Quando Ele a declara, ou quando nós, como Seus filhos, a declaramos, vemos um resultado baseado no tipo de semente que plantamos. Em suma, se falo sobre escassez, doença, coisas com as quais estou irritado e sobre problemas na maior parte do tempo, então as "sementes de palavras" que estou semeando na verdade produzirão uma colheita de coisas idênticas a essas. Por outro lado, se eu optar por falar sobre provisão, saúde, perdão, a bondade e a fidelidade de Deus, estarei plantando sementes que produzirão uma boa colheita de acordo com a semente que estou semeando com minhas palavras.

Um agricultor não planta uma semente de tomate e espera colher brócolis, por isso não deveríamos plantar sementes de palavras ruins e esperar ter uma boa colheita. A partir do momento em que entendamos esse princípio e passemos a agir de acordo com ele, poderemos mudar nossas palavras e, por conseguinte, nossas vidas.

Quero encerrar este capítulo com uma história que nunca me esquecerei, contada por um amigo meu.

Um dia, quando era calouro no ensino médio, vi um garoto da minha turma andando para casa depois da escola. Seu nome era Kyle. Parecia que ele estava carregando todos os seus livros. Pensei comigo mesmo: *por que alguém levaria todos os seus livros para casa em plena sexta-feira? Ele deve ser um nerd.*

Eu havia planejado um fim de semana incrível (festas e um jogo de futebol com meus amigos no sábado à tarde), então encolhi os ombros e segui em frente. Enquanto caminhava, vi um grupo de garotos correndo na direção dele. Correram até ele, derrubando todos os livros que estava segurando e fazendo-o tropeçar, caindo no chão. Seus óculos saíram voando e vi quando caíram na grama a cerca de três metros de distância dele. Ele olhou para cima e vi uma tristeza enorme nos seus olhos. Meu coração voltou-se para ele. Então corri até ele enquanto ele engatinhava procurando seus óculos e vi uma lágrima em um de seus olhos. Quando lhe entreguei os óculos, eu disse: "Aqueles garotos são uns otários. Eles definitivamente deveriam arrumar o que fazer". Ele olhou para mim e disse: "Ei, obrigado!" Havia um grande sorriso no seu rosto. Era um daqueles sorrisos que demonstram uma verdadeira gratidão.

Ajudei-o a recolher os livros, e perguntei-lhe onde morava. Descobri que ele morava perto de mim, então perguntei por que eu nunca o havia visto antes. Ele disse que antes frequentava uma escola particular. Eu nunca havia andado com um aluno de uma escola particular antes.

Conversamos durante todo o caminho para casa, e carreguei os livros dele. Descobri que ele era um garoto muito legal. Perguntei se ele queria jogar futebol no sábado comigo e meus amigos. Ele disse que sim. Saímos juntos durante todo o fim de semana, e quanto mais eu conhecia Kyle, mais gostava dele. E meus amigos também.

Durante os quatro anos seguintes, Kyle e eu nos tornamos melhores amigos. Quando estávamos prestes a nos formar, começamos a pensar sobre a faculdade. Kyle decidiu ir para Georgetown, e eu iria para Duke. Kyle foi o orador da nossa turma. Eu brincava com ele o tempo todo dizendo que ele era um *nerd*. Ele teve de preparar um discurso para a formatura. Fiquei muito feliz por não ser eu quem teve de ficar de pé ali e falar.

No dia da formatura, quando vi o Kyle, ele estava incrível. Dava para perceber que estava nervoso por causa do discurso que faria. Quando começou, limpou a garganta e disse: "A formatura é um momento para agradecer àqueles que ajudaram você a atravessar esses anos difíceis. Seus pais, professores, irmãos, talvez um treinador... mas principalmente seus amigos. Estou aqui para contar a todos vocês que ser amigo de alguém é o melhor presente que você pode dar a ele. Vou lhes contar uma história".

Olhei incrédulo para o meu amigo enquanto ele contava a história do primeiro dia em que nos conhecemos. Ele havia planejado se matar naquele fim de semana. Ele falou sobre como havia limpado seu armário para que sua mãe não tivesse de fazer isso depois, por isso estava levando todas as suas coisas para casa. Ele olhou sério para mim e me deu um pequeno sorriso. "Felizmente, fui salvo. Meu amigo me salvou de fazer algo inominável." Ouvi o nó na garganta da multidão enquanto aquele garoto bonito e popular nos contava sobre seu momento de maior fraqueza. Vi sua mãe e seu pai olhando para mim e sorrindo, com aquele mesmo sorriso de gratidão. Até aquele momento eu não havia percebido a profundidade daquele sorriso.

—∞—

Nunca subestime o poder de suas palavras e atos. Com algumas palavras gentis, você pode mudar a vida de uma pessoa. Para melhor ou para pior. Deus nos coloca na vida uns dos outros para impactarmos uns aos outros de algum modo.

CAPÍTULO
2

Dome Sua Língua

Somos capazes de domar nossa própria língua? De acordo com a Bíblia, isso é impossível, então por que tentar? A verdade é que não podemos fazer isso sem a ajuda de Deus, mas com Deus todas as coisas são possíveis, até mesmo domar nossa língua. Dependo de Deus e conto com Ele todos os dias para me ajudar a controlar a minha boca e o que sai dela. O salmista Davi orava muito sobre as suas palavras. Ele tomou a decisão de não pecar com a sua língua, mas também dependia de Deus para lhe dar forças para cumprir o que havia decidido fazer. Ele disse: "Propus-me a não transgredir com a minha boca" (Salmos 17:3b). "As palavras dos meus lábios e o meditar do meu coração sejam agradáveis na tua presença, Senhor, minha Rocha [firme, impenetrável] e Redentor meu!" (Salmos 19:14). "Disse comigo mesmo: guardarei os meus caminhos, para não pecar com a língua; porei mordaça à minha boca, enquanto estiver na minha presença o ímpio" (Salmos 39:1). "Põe guarda, Senhor, à minha boca; vigia a porta dos meus lábios" (Salmos 141:3). Podemos entender a partir desses versículos que Davi estava exercendo seu livre-arbítrio e estava determinado a não pecar com a sua língua, mas ao mesmo tempo ele dependia de Deus para conseguir fazê-lo.

Podemos ter os desejos certos, e quando é esse o caso, Deus se agrada e trabalha a nosso favor ajudando-nos a cumprir o nosso propósito, agindo da maneira correta. Sugiro que você estude o que a Palavra de Deus tem a dizer a esse respeito. Descubra tudo o que puder sobre o que a Palavra de Deus fala sobre a boca, a língua e as palavras. Também sugiro que comece a orar especificamente sobre essas áreas, pedindo a Deus diariamente para ajudá-lo. Quando você perceber que pecou com sua boca, leve isso a sério e seja rápido em se arrepender. Domar a língua não é uma tarefa fácil, mas pode ser feita, embora nunca sem a ajuda de Deus diariamente.

Quando ouvi pela primeira vez uma mensagem sobre os problemas que podem ser causados por não domarmos a língua, fui convencida do meu pecado e decidi mudar. Fui para casa na volta do culto no qual ouvi essa palavra e planejei manter a boca fechada e simplesmente não falar. Raciocinei que se simplesmente não falasse, eu não me meteria em problemas por causa das minhas palavras. É claro que esse plano não funcionou porque era radical e não tinha nada a ver com a vontade de Deus. As pessoas me perguntavam o que havia de errado comigo e por que eu não estava falando, e o meu pensamento era: *você não fica feliz quando falo porque digo a coisa errada, e agora você não está feliz porque eu não estou falando. Não consigo agradar as pessoas, não importa o que eu faça!*

Deus quer que falemos, e foi por isso que Ele nos deu uma boca. A comunicação de acordo com o padrão de Deus é algo lindo, e as palavras usadas adequadamente fazem muito bem. O plano de Deus não era que eu não dissesse nada, mas que aprendesse a domar a minha língua com a ajuda Dele. Meu plano era ir para casa e passar a agir de uma maneira diferente, mas eu havia deixado Deus totalmente fora da equação. Todas as vezes que pensamos em fazer qualquer coisa sem Ele, o fracasso é inevitável. Mesmo quando queremos fazer a vontade de Deus, ainda assim não podemos fazê-lo sem a ajuda Dele.

Precisamos sempre orar primeiro e depois esperar pelo plano de Deus. Nunca faça o seu próprio plano e espere que Deus o abençoe. Eu deveria ter saído da igreja e dito: "Deus, fui convencida do pecado pela mensagem desta noite. Sei que não tenho domado a minha língua e que causei muitos problemas por não fazê-lo. Por favor, perdoe-me, Pai, e ajude-me a mudar. Mostre-me o que fazer e ajude-me a fazer isso para que a minha boca possa ser uma bênção e não um problema. Eu peço em nome de Jesus, Amém!" Se eu tivesse feito isso, poderia ter poupado muitas tentativas, fracassos e confusões.

Uma das coisas que devemos fazer todos os dias é orar pedindo a Deus para nos ajudar a dizer as coisas certas. Nossas palavras são muito importantes e elas deveriam ser usadas para os propósitos de Deus. Deveríamos desejar ser boca de Deus, falando a Sua Palavra fielmente.

Se não formos cuidadosos e diligentes na oração, podemos inconscientemente nos tornar a boca de Satanás, permitindo que ele fale coisas através de nós que fazem mal e ferem muitas pessoas. Podemos ser boas pessoas que nunca fariam algo assim deliberadamente, mas isso pode acontecer se não entendermos o impacto das palavras e o quanto precisamos da ajuda de Deus para domar a nossa língua.

Uma Pequena Fagulha Pode Dar Início a Um Grande Incêndio

Margaret amava tocar piano e não havia nada que seu marido, Richard, gostasse mais do que se sentar em sua poltrona e ouvir sua esposa tocar. Uma ou duas vezes por semana, após o jantar, Margaret se sentava ao piano e tocava. Sonatas, valsas e as canções favoritas do casal voavam através de seus dedos e às vezes Richard cantava junto.

Quando Richard desenvolveu problemas cardíacos graves, foi obrigado a se aposentar e Margaret tornou-se a única fonte de renda daquela família. Ela trabalhava por longas horas, muitas vezes voltando para casa às oito horas da noite para preparar o jantar, lavar a louça e ir direto para a cama.

Uma noite, durante o jantar, Richard olhou para o piano e disse a Margaret: "Sinto falta de ouvi-la tocar". Margaret retrucou irritada: "E *quando* eu teria tempo para fazer *isso*?" Richard não disse nada. Margaret instantaneamente lamentou sua resposta, mas não pediu desculpas; ela voltaria a tocar piano novamente para Richard assim que pudesse ajeitar as coisas no trabalho e começar a voltar para casa mais cedo.

Margaret nunca teve a chance de fazer isso. Ela voltou para casa do trabalho algumas semanas depois e encontrou Richard deitado no chão do porão. Ele havia tido um ataque cardíaco e estava morto.

Agora que Richard se foi, Margaret não consegue mais tocar.

Que triste história, e que exemplo vívido do incêndio desenfreado que apenas algumas palavras podem deflagrar. Se Margaret pudesse voltar atrás naquelas palavras sarcásticas ditas por ela em um momento de irritação, estou certa de que o faria. Mas é tarde demais. Como ela gostaria de ter domado sua língua enquanto teve a chance de fazê-lo.

Felizmente, a maioria de nós nunca se verá em uma situação como a de Margaret.

Na maior parte do tempo, as lições aprendidas não têm um preço tão alto quanto a dela. Mas prevenir é sempre melhor do que remediar. Portanto, vejamos como podemos impedir que nossas línguas provoquem um incêndio.

Nove versículos bíblicos encontrados em Tiago 3:2-10 constituem um fundamento poderoso para aprendermos a domar a língua. Vamos explorá-los juntos.

> Porque todos costumamos tropeçar e cair e ofender em muitas coisas. E se alguém não ofende no falar [nunca diz a coisa errada], ele é de um caráter plenamente desenvolvido e varão perfeito, capaz de controlar todo o seu corpo e de refrear toda a sua natureza.
>
> — Tiago 3:2

Se é preciso ter uma boca perfeita para ser um homem perfeito, estou certa de que isso é algo inalcançável para nós enquanto estivermos aqui na terra. É nossa função avançar em direção à marca da perfeição, no entanto, a Bíblia nos ensina que não atingiremos a perfeição até que Jesus, Aquele que é Perfeito, venha para nos levar para vivermos com Ele por toda a eternidade (ver 1 Coríntios 13:9-10). Podemos crescer, podemos mudar e podemos melhorar cada vez mais. Mas se alcançássemos a perfeição no nosso comportamento, não precisaríamos mais de Jesus — e isso nunca vai acontecer. Podemos ter um coração perfeito para com Deus, desejando plenamente a Sua vontade e fazendo tudo o que pudermos para trabalhar com o Espírito Santo em direção a esse objetivo. Deus vê o nosso coração, e creio que Ele nos considera perfeitos mesmo enquanto estamos trilhando o caminho rumo à perfeição. Sou muito grata por Deus ver o nosso coração e não meramente o nosso desempenho.

> Ora, se pomos freio na boca dos cavalos, para nos obedecerem, também lhes dirigimos o corpo inteiro. Observai, igualmente,

os navios que, sendo tão grandes e batidos de rijos ventos, por um pequeníssimo leme são dirigidos para onde queira o impulso do timoneiro.

— Tiago 3:3-4

O freio na boca do cavalo é uma pequena peça de metal atrelada à rédea que força esse enorme animal a se voltar para qualquer direção que o cavaleiro determine. É algo pequeno comparado a um cavalo, que poderia pesar até quase duas toneladas. Isso mesmo! Embora seja raro, um cavalo pode chegar a pesar tudo isso e ainda ser controlado por uma pequena peça de metal. O freio na verdade pressiona a língua do cavalo, o que acho engraçado já que Deus o está usando como um exemplo para nos ensinar a entender a importância da língua.

O exemplo seguinte é um poderoso navio. Alguns navios são transatlânticos e podem ter o comprimento de vários quarteirões de uma cidade, no entanto são guiados por um leme que é muito pequeno em comparação com o enorme navio. A mensagem para nós é que nossas línguas e as palavras que passam por elas são poderosas o bastante para dar direção a toda a nossa vida. Uma grande parte do que aconteceu até agora em nossas vidas é resultado das nossas palavras no passado ou das palavras que nos foram ditas. É consolador saber que posso mudar a direção da minha vida transformando minhas palavras, assim como um cavaleiro pode mudar a direção do seu cavalo ou um capitão pode mudar a direção do seu navio.

> Assim, também a língua, pequeno órgão, se gaba de grandes coisas. Vede como uma fagulha põe em brasas tão grande selva! Ora, a língua é fogo; [a língua é um] mundo de iniquidade; a língua está situada entre os membros de nosso corpo, e contamina o corpo inteiro, e não só põe em chamas toda a carreira da existência humana (o ciclo da natureza humana), como também é posta ela mesma em chamas pelo inferno (Geena).
>
> — Tiago 3:5-6

Algumas palavras ditas podem não parecer grande coisa, mas a Bíblia as compara a fagulhas que iniciam grandes incêndios florestais. Ouvimos relatos de milhões de acres de floresta destruídos devido a alguém ter jogado um cigarro aceso no chão. Uma coisa tão pequena, mas que causa uma terrível destruição. Nossas palavras têm realmente tanto poder? Se vamos acreditar na Palavra de Deus, então precisamos acreditar que elas têm.

De acordo com esses versículos, a língua é muito má e depravada se não for controlada por Deus. Ela se encontra entre nossos membros (nosso corpo) e tem o poder de contaminar todo o corpo e colocar em movimento coisas que geram resultados devastadores. Ela pode ser usada pelo próprio Inferno para gerar coisas que só Satanás desejaria.

Felizmente, a história não termina aí. Com a ajuda de Deus, essa mesma língua pequenina pode ser voltada para Deus e usada para os Seus grandes propósitos na terra. Pode ser usada para pregar o Evangelho de Jesus Cristo e causar grande dano a Satanás e ao reino das trevas. Pode ser usada em muitas coisas boas, e até mesmo em coisas ruins em que foi usada no passado que podem ser revertidas para o bem. Podemos sempre vencer o mal com o bem (ver Romanos 12:21). Comece agora mesmo a falar coisas boas e você começará a ver mudanças.

> Pois toda espécie de feras, de aves, de répteis e de seres marinhos se doma e tem sido domada pelo gênero (a natureza) humano. A língua, porém, nenhum dos homens é capaz de domar; é mal incontido (indisciplinado, irreconciliável), carregado de veneno mortífero. Com ela, bendizemos ao Senhor e Pai; também com ela, amaldiçoamos os homens, feitos à semelhança de Deus! De uma só boca procedem bênção e maldição. Meus irmãos, não é conveniente que estas coisas sejam assim.
>
> — Tiago 3:7-10

Já vi programas de televisão mostrando como homens treinaram animais para fazer coisas impressionantes, e eles sempre me intrigam. É impressionante podermos treinar um animal selvagem e perigoso para saltar arcos de fogo e, no entanto, não conseguirmos domar uma coisa pequena como a língua. Entretanto, como eu disse antes, todas as coisas são possíveis com Deus, e quando levarmos a sério o desejo de domar a nossa língua, Deus levará a sério o desejo de nos ajudar.

Precisamos ser determinados em eliminar a variedade de coisas que sai da nossa boca. Podemos ir à igreja e cantar cânticos de louvor a Deus, e depois ir almoçar e difamar as mesmas pessoas com as quais nos sentamos na igreja. Lembro-me de que eu mesma costumava fazer isso, e estou certa de que não sou a única. Não sabia o que estava fazendo, porque nunca havia recebido esse tipo de ensinamento. Mas agora que sei e você também sabe, somos responsáveis por trabalhar com o Espírito Santo em direção a uma mudança positiva.

Mestres, Cuidado

Aprendi que ser uma mestra da Palavra de Deus me dá ainda maior responsabilidade que as outras pessoas quando o assunto é domar minha língua. Não posso permitir que a Palavra de Deus saia da minha boca enquanto permito simultaneamente que Satanás a use para a sua obra suja.

> Meus irmãos, não vos torneis, muitos de vós, mestres, sabendo que havemos de receber maior juízo.
>
> — Tiago 3:1

Esse versículo precede todos os outros que discutimos e que falam sobre a boca em Tiago 3. Há muitos tipos de mestres no mundo. Os professores da Bíblia, os professores de Escola Dominical, os professores de gramática, os professores do ensino médio, os professores universitários e os pais, que também são mestres. Tenho uma treinadora na academia que me ensina a me exercitar, e eu não veria sua importância e provavelmente não a ouviria se ela própria não se exercitasse regularmente. Todos nós esperamos que aqueles que nos ensinam façam o mesmo que nos ensinam a fazer.

Deus me ensinou essa lição de uma maneira muito impactante há vários anos. Cheguei a um ponto no meu ministério de ensino em que passei a sentir claramente que o poder (a unção) de Deus não estava sobre aquilo que eu dizia, e isso me deixou muito preocupada. Finalmente dispus-me a buscar a Deus seriamente por causa dessa situação, mas depois de três dias, eu ainda não tinha respostas. Enquanto eu falava sobre isso com Dave, ele disse que sentia que Deus havia lhe mostrado o que estava errado. Bem, estou certa de que você sabe que não fiquei satisfeita por ele achar que sabia o que havia de errado comigo, e imediatamente fiquei na defensiva. Dave não discutiu comigo nem por um momento, ele disse simplesmente: "Acredito que foi isso que Deus me mostrou, você quer ouvir ou não?"

Dave me perguntou se eu me lembrava de ter dito algumas coisas negativas a ele sobre o estilo de pregação de outro pregador, e eu disse: "Bem, você concordou comigo!" Eu ainda não estava pronta para ser responsabilizada pelo problema. Dave disse: "Sim, concordei, mas não sou eu quem está pregando e não sou eu quem está com um problema". Ui! Depois de passar metade do dia teimando, por fim eu me acalmei, e um dos primeiros lugares aos quais o Espírito Santo me conduziu na Palavra de Deus foi Tiago 3:1-10, que fala sobre os mestres serem mais responsáveis que os outros no que diz respeito às suas palavras. Quando finalmente percebi o que eu havia feito, lamentei tremendamente e senti que havia aprendido uma boa lição. Lamento dizer que alguns anos depois fiz a mesma coisa novamente e imediatamente senti a perda do poder de Deus na minha pregação. Dessa vez não tive de procurar o motivo porque me lembrei da minha lição anterior. Imediatamente me arrependi e desde então procuro tomar muito cuidado para nunca julgar de forma crítica outra pessoa que esteja pregando a Palavra de Deus.

Eu não apenas estava fazendo o que ensinava outros a não fazer no que diz respeito a proferir palavras de julgamento, como também estava falando contra outra pessoa chamada por Deus para pregar o Evangelho — e isso tornava as coisas ainda piores.

Mestres, cuidado! Recebam esta palavra como uma palavra de advertência. Se vão ensinar a outros, vocês precisam se submeter a um padrão mais elevado do que aqueles que não são mestres. Seremos julgados por um padrão mais rígido e com maior severidade. Isso não exime os outros da responsabilidade deles, mas coloca uma responsabilidade dobrada sobre aqueles de nós que ensinam, por causa da nossa posição de liderança.

CAPÍTULO
3

Aprenda a Dizer o que Deus Diz

Quando meu neto mais novo tinha nove meses de idade, comecei a trabalhar com ele diariamente para tentar fazer com que ele dissesse "vovó". Eu repetia isso várias vezes, e ele ria. Queria que ele me imitasse, e mesmo que não entendesse perfeitamente, queria ouvi-lo dizer "vovó". Queria que ele dissesse o que eu estava dizendo! Depois de vários dias, ele finalmente disse a sua versão de "vovó". E embora soasse um pouco como *vrrr* com um ó no final, todos nós ficamos muito empolgados. Isso me ajudou a entender o quanto Deus deve ficar animado quando finalmente começamos a dizer o que Ele diz.

O apóstolo Paulo disse aos cristãos de Corinto que eles eram carnais e imaturos e que ainda não sabiam falar.

> Entretanto, irmãos, não pude falar com vocês como a [homens] espirituais, mas como a não espirituais [homens carnais, em quem predomina a natureza carnal], como a simples crianças [na nova vida] em Cristo [ainda incapazes de falar!].
> — *1 Coríntios 3:1*

Sempre achei esse versículo fascinante. Sabemos que eles eram capazes de falar, então o que Paulo quis dizer? Ele quis dizer que eles não falavam corretamente. A conversa deles não estava em concordância com a Palavra de Deus.

Se quisermos falar com Deus, precisamos concordar com Ele. Se meu marido e eu tentamos fazer uma caminhada juntos e eu vou para uma direção enquanto ele segue por outra, ficaremos frustrados e não faremos muito progresso. Do mesmo modo, não podemos ir contra a direção de Deus e esperar ser capaz de desfrutar a vida.

> Andarão dois juntos se não tiverem marcado um encontro e não estiverem de acordo?
>
> — Amós 3:3

Muitas pessoas andam juntas todas as manhãs ou todas as noites em uma determinada hora. Elas marcaram um encontro e concordaram em andar juntas. Deixe que a leitura deste livro seja o momento no qual que você concordou em andar com Deus de maneira totalmente comprometida, aprendendo a dizer o que Ele diz. Deus tem um ótimo plano para cada um de nós, mas nunca o desfrutaremos se não aprendermos a dizer o que Ele diz sobre tudo.

Todos os que se consideram crentes em Deus diriam que querem que as promessas de Deus se cumpram e se tornem realidade em suas vidas. No entanto, muitos crentes declaram em suas próprias vidas algo diferente do que Deus diz em Sua Palavra.

Por exemplo, muitas pessoas dizem que se sentem culpadas ou que sentem não serem amadas, no entanto Deus diz que Ele nos ama com amor eterno e incondicional. Muitas vezes falamos sobre como nos sentimos ou sobre o que pensamos em vez de falarmos sobre o que a Palavra de Deus diz, e se esse é o caso, precisamos mudar.

Jesus é o Sumo Sacerdote da nossa confissão (ver Hebreus 4:14). Ele trabalha a nosso favor para fazer com que a vontade de Deus aconteça, mas só pode trabalhar na medida em que concordarmos com Deus no que Ele diz. Nossa confissão é meramente o que dizemos, e Jesus trabalha de acordo com isso. Se eu dissesse a um de meus filhos que iria fazer para ele uma festa de aniversário fantástica no próximo ano, esperaria que ele dissesse o mesmo que eu. Se ele dissesse: "Não, você não vai!" — isso me faria pensar que ele não confia em mim. Se eu o ouvisse dizer continuamente: "Duvido que mamãe cumpra o que disse e faça uma festa de aniversário para mim", eu poderia simplesmente decidir não fazer mais a tal festa. O poder da concordância é impressionante. Quando concordamos com outra pessoa, isso aumenta nosso poder dez vezes mais. Imagine então o que acontece quando concordamos com Deus!

A Palavra de Deus Escrita

A Bíblia é a Palavra de Deus escrita para nós a fim de que possamos aprender e meditar nela. Deus quer que Sua Palavra se torne parte de nós, e Ele quer que guiemos nossas vidas de acordo com ela. A Sua Palavra é a verdade, e está cheia de sabedoria. Ela é cheia de vida e poder.

O salmista Davi, que por fim acabou se tornando rei, valorizava grandemente a Palavra de Deus. Muitos dos Salmos que ele escreveu falam sobre a importância da Palavra de Deus, e o Salmo 119 é um dos melhores. Davi inicia esse Salmo dizendo que somos abençoados se pautamos nossa conduta e nossas conversas na Lei do Senhor. Ele está dizendo literalmente que precisamos fazer o que Deus faz e dizer o que Ele diz.

Dorothy, uma mulher de oitenta e nove anos, mora em uma casa de repouso no norte do estado de Vermont. O diabetes e a artrite roubaram dela tanto a visão quanto a capacidade de andar. Quando sua sobrinha Irene foi visitá-la, ela esperava encontrar sua tia deprimida e angustiada.

Mas, em vez disso, sua tia Dorothy a cumprimentou calorosamente e se preparou para uma maravilhosa visita de sua sobrinha favorita. Elas passaram horas conversando e rindo, e finalmente, Irene não pôde mais conter sua curiosidade. "Tia Dot, você está cega e aleijada. Como consegue ter tanta disposição?" — ela perguntou.

"Isto é fácil" disse a tia. "Passei quarenta anos aprendendo a Palavra de Deus e cantando Seus louvores. Na verdade, simplesmente memorizei grande parte da Bíblia ao longo de anos de estudo. Agora, sempre que começo a sentir pena de mim mesma, declaro e canto os versículos da Bíblia e hinos de louvor. Não sei bem se a minha companheira de quarto gosta disso, mas isso sempre me anima!"

Nenhum de nós espera ficar velho e perder nossas habilidades. Mas se esse dia chegar, você não gostaria de estar preparado com um arsenal de passagens da Bíblia e cânticos de louvor na ponta da língua? Quando obedecemos a Deus e escondemos a Sua Palavra no nosso coração, Ele nos abençoa de uma maneira que nem sequer podemos imaginar.

> Com meus lábios declarei e recontei todas as ordenanças da Tua boca.
> — Salmos 119:13

Não há como dizermos o que Deus diz se não soubermos o que Ele disse, e por essa razão precisamos estudar a Palavra de Deus diligentemente. Para conhecer a Deus e saber o que esperar Dele, precisamos conhecer a Sua Palavra — porque Deus e a Sua Palavra são um. Deus não diz uma coisa e faz outra. Ele não pode mentir e é sempre fiel em realizar o que prometeu. Satanás é um mentiroso e procura nos enganar com suas mentiras. A única maneira de reconhecermos as mentiras dele é conhecendo a verdade. Somente a verdade, que é a Palavra de Deus, irá nos libertar (ver João 8:31-32).

Estudei a Palavra de Deus diligentemente por trinta e cinco anos e minha vida mudou porque minha mente foi renovada. Aprendi a falar em concordância com Deus, e estou desfrutando o cumprimento das Suas promessas. Conheço muitas pessoas que têm o mesmo testemunho, mas também conheço muitas que, embora desejem que suas vidas melhorem, não querem se disciplinar para estudar e aprender a Palavra ou declará-la. Essa é uma escolha nossa e somente nós podemos fazê-la. Está na hora de você marcar um encontro com Deus e começar a concordar com Ele? Se for o caso, não demore... Hoje é o dia para começar!

O Que Deus Diz Sobre o Seu Passado?

Muitas pessoas estão estacionadas no passado. Se fizeram algo ruim ou se algo mau aconteceu com elas, acreditam que nunca serão capazes de superar isso. É exatamente o que o diabo quer que as pessoas acreditem, mas de acordo com a Palavra de Deus, isso não é verdade. Podemos nos recuperar de algo ruim que aconteceu no passado, e Deus até fará com que isso coopere para o nosso bem. Deus é um Redentor, e isso significa que Ele compra o pecado e outras coisas ruins em nossas vidas com o sangue de Jesus e as transforma em algo belo.

Assim como muitos de vocês, tive um passado cheio de pecado e dor por ter sofrido abuso e rejeição. Estava totalmente convencida de que sempre teria uma vida inferior por causa do meu passado. Estava disposta a fazer o meu melhor, mas certamente não esperava que nada de incrivelmente maravilhoso acontecesse. Contudo, aprendi com a Palavra de Deus que eu podia ser totalmente perdoada por todo o meu pecado, e que podia esquecer o que ficou para trás porque Deus estava fazendo algo novo (ver Hebreus 10:17-18; Isaías 43:19).

Vi essas promessas na Palavra de Deus, e depois liberei a minha fé nelas dizendo o que Deus disse. Parei de dizer coisas como: "Não há esperança para mim. É tarde demais. Arruinei a minha vida". E comecei a dizer: "Sou perdoada, perdoo aqueles que me feriram e esqueço o que ficou para trás porque Deus está fazendo algo novo em minha vida".

A fé é uma força que reside no nosso espírito regenerado, mas ela precisa ser liberada para funcionar. Nós a liberamos tomando atitudes inspiradas por Deus, orando ou dizendo o que Deus diz.

Recentemente, eu estava ensinando em uma conferência e senti a direção do Espírito Santo de perguntar quantas pessoas se sentiam presas ao passado. Fiquei surpresa quando 75% dos participantes ergueram as mãos. Compartilhei o que a Palavra de Deus diz sobre o nosso passado e os desafiei a tomar uma decisão de concordar com Deus. O número de pessoas que são impedidas de avançar porque estão presas ao passado é assustador. A resposta encontra-se claramente na Palavra de Deus: "Deixe para trás o que passou, porque Deus está fazendo uma coisa nova". Pode parecer impossível, mas dizer o que Deus diz sobre nós com o tempo renovará nossa mente e nossa atitude e nos lançará em direção ao futuro que Ele deseja para nós. Não importa o que você fez no passado ou o que lhe foi feito, eu o desafio a começar a dizer: "Sou perdoado, Deus tem um bom plano para a minha vida e nunca vou olhar para trás". Se tivéssemos sido feitos para olhar para trás, para o lugar de onde viemos, teríamos olhos atrás de nossas cabeças, mas não temos. Nossos olhos estão diante de nós, para que possamos olhar para a frente sempre.

Não podemos basear nossas crenças na maneira como nos sentimos ou no que pensamos, precisamos baseá-las na Palavra de Deus. A Sua Palavra é a autoridade máxima na Terra. É uma espada poderosa que Ele nos deu, mas precisamos empunhá-la. Precisamos declará-la e crer, meditar e agir com base nela. Não desperdice sua vida se curvando aos seus próprios pensamentos ou sentimentos carnais. É hora de viver mais profundamente, não apenas na esfera da alma (mente, vontade e emoções). É hora de acreditar que somos coerdeiros com Jesus Cristo e que podemos reinar como reis na vida por meio da justiça (ver Romanos 5:17; 8:17).

O Tipo de Justiça de Deus

Existem dois tipos de justiça. O primeiro tipo é a justiça pelo comportamento correto, e é com ela que estamos mais familiarizados. Sofremos tentando fazer o que se espera de nós e o que a sociedade nos diz que é certo. Se temos alguma fé em Deus, também nos esforçamos tentando agradá-lo obedecendo a todos os Seus mandamentos. A maioria de nós nunca sente ter êxito ou estar à altura do padrão que foi estabelecido. Nós nos sentimos um fracasso, e de um modo geral, nos sentimos "errados" com relação a nós mesmos e com relação à maior parte do que fazemos. Nós nos comparamos com outras pessoas que achamos serem melhores do que nós e tentamos ser como elas, mas isso nunca funciona também, e mais uma vez nós nos sentimos totalmente errados. A sensação de estar errados faz com que nos sintamos culpados e condenados, o que nos oprime e faz com que vivamos muito aquém dos nossos direitos e privilégios como filhos de Deus.

Passamos nossa vida nos esforçando para receber algo que, de acordo com a Palavra de Deus, poderíamos receber liberalmente, como um presente da graça de Deus por meio da fé. Costumo dizer que isso é como tentar sentar em uma cadeira na qual já estamos sentados.

O segundo tipo de justiça que temos à nossa disposição é a Justiça de Deus. É o presente Dele para nós no momento em que recebemos Jesus Cristo como nosso Salvador. Ela vem pela graça por meio da fé. E como é um dom gratuito, não pode ser conquistada, merecida ou paga por nós. O presente da justiça que Deus dá aos Seus filhos já foi pago pelo sofrimento, morte e ressurreição de Jesus.

Deus toma o nosso pecado e nos dá a Sua própria justiça, e por um ato do Seu amor e misericórdia, Ele nos vê como se fôssemos retos diante Dele por meio da nossa fé.

> Por amor a nós Ele fez com que Cristo, Aquele que não conheceu pecado, se tornasse [praticamente] pecado, para que Nele e através Dele pudéssemos nos tornar [imbuídos da, vistos como

estando na e exemplos da] justiça de Deus [o que deveríamos ser, aprovados e aceitos e em um relacionamento correto com Ele, pela Sua bondade].

— *2 Coríntios 5:21*

Essa é a grande troca! Deus pega os nossos pecados, os coloca sobre Jesus e nos dá a Sua justiça. Alguém precisava pagar pelo pecado, e nós não podíamos fazê-lo. Então Deus enviou o Seu único Filho, Jesus, para fazer o trabalho. Ele se tornou o nosso substituto. Você está disposto a dizer o que Deus diz? Quer entrar em concordância com Ele? Em vez de dizer: "Eu não presto para nada. Faço tudo errado. Nunca vou conseguir estar à altura do que preciso ser", comece a dizer: "Eu sou a justiça de Deus em Cristo. Deus me vê como justo e tenho um relacionamento reto com Ele por intermédio de Cristo".

O evangelista inglês George Whitefield, que viveu no século XVIII, aprendeu sobre essa grande troca quando foi falsamente acusado por seus inimigos. A certa altura do seu ministério, Whitefield recebeu uma carta difamatória acusando-o de ter feito algo errado.

Sua resposta foi breve e cortês: "Agradeço de coração pela sua carta. Quanto ao que o senhor e os meus outros inimigos estão dizendo contra mim, sei coisas muito piores a meu respeito do que qualquer acusação que vocês poderiam fazer. Com amor em Cristo, George Whitefield". Ele não tentou se defender. Whitefield estava muito mais preocupado em agradar ao Senhor.

Sofri muito com a culpa por causa do abuso sexual em minha infância, e provavelmente precisei dizer "Eu sou a justiça de Deus em Cristo" mil vezes antes de realmente começar a sentir os efeitos disso em minha vida. Entretanto, com o tempo a verdade sobrepujou as mentiras de Satanás nas quais eu acreditava, e passei a não ter mais a companhia constante da culpa. O fardo foi retirado e estou livre!

Talvez você pergunte: "Joyce, como posso ser justo se ainda faço tantas coisas erradas?" A resposta está em saber que Deus o vê como Seu filho justo, mas ainda assim trata com o seu mau comportamento. Ele faz isso de uma maneira amorosa, porém firme, que o libertará desse comportamento pecaminoso. Deus nunca espera que façamos algo sem primeiro sermos capacitados por Ele para fazê-lo, por isso Ele nos dá a justiça.

Deus a planta como uma semente no nosso espírito e depois toma o que plantou em nós e faz florescer através de nós. Por fim, essa semente se transforma em um comportamento reto por causa da justiça de Deus que recebemos como um presente Dele.

Não podemos nos fazer merecedores da aprovação e do amor de Deus através de um comportamento reto. Mas com base na justiça de Deus, tentamos fazer o que é justo porque Ele já nos aprovou e nos ama incondicionalmente. Estamos nos aperfeiçoando por causa do amor Dele e não para receber o Seu amor.

Continue dizendo o que Deus diz. Mude suas palavras e você poderá mudar sua vida!

Infinita e Abundantemente Acima e Além

O que devemos esperar na vida? Devemos esperar sofrer escassez ou até mesmo privações? Ou devemos esperar que Deus cumpra a Sua Palavra e supra todas as nossas necessidades de acordo com as Suas riquezas em Cristo?

> O SENHOR é o meu Pastor (para me alimentar, guiar e proteger), nada me faltará.
> — Salmos 23:1

Vamos ousar crer na Sua Palavra e dizer o que Ele diz?

> Deus é poderoso para fazer infinitamente, abundantemente acima e além de tudo o que poderíamos ousar esperar, pedir ou pensar...
> — Efésios 3:20

Costumamos viver cheios de medo, pensando que as nossas necessidades talvez não sejam atendidas. No entanto, Deus prometeu nos suprir se simplesmente levarmos as nossas ofertas a Ele como um ato de fé. Pegamos uma parte do nosso dinheiro ou de outros recursos e os entregamos, e quando fazemos isso, Deus vê isso como uma semente. Se continuarmos regando essa semente declarando a Palavra de Deus sobre ela, veremos uma linda colheita no tempo devido.

Escrevi o trecho a seguir em meu diário no dia 13 de fevereiro de 2011. Recentemente encontrei estas palavras mais uma vez:

> Estou com a palavra *providência* em minha mente ultimamente. Ela se refere ao cuidado de Deus sobre a Sua criação. Ele vê necessidades e desejos antecipadamente e providencia para que sejam supridos. O poder de Deus nos cria e nos mantém! Nunca existe um momento em nossas vidas em que Deus não esteja cuidando de nós.

Deus deseja que confiemos Nele para cuidar de nós a cada momento. Ele tem os Seus olhos sobre nós e nunca, nem por um instante, nos deixa sós. Ele sabe o que necessitamos antes mesmo de pedirmos.

Reflita sobre estes versículos e comece a dizer o que Deus diz:

> Cada um [contribua] conforme tiver decidido e proposto no coração, não com relutância ou tristeza, nem mediante compulsão, porque Deus ama (Ele tem prazer, aprecia acima de outras coisas e não está disposto a abandonar ou a passar sem) aquele que dá com alegria [alguém cujo coração se alegra em dar prontamente].
>
> E Deus é poderoso para fazer toda graça (todo favor e bênção terrena) vir até vocês com abundância, para que vocês possam sempre, em todas as circunstâncias e seja qual for a necessidade, ser autossuficientes [possuindo o suficiente para não precisar de ajuda ou apoio e supridos em abundância para toda boa obra e doação caridosa].
> — *2 Coríntios 9:7-8*

Não acredito que ao simplesmente ler apressadamente esses versículos sejamos capazes de captar a promessa incrível que eles oferecem. Leia-os vez após vez até ter espremido cada gota de revelação que eles oferecem. Deus suprirá abundantemente todas as nossas necessidades se simplesmente dermos a Ele como um ato de fé. Lembre-se de que a fé precisa ser liberada!

Deus não precisa do nosso dinheiro, mas Ele o pede como uma maneira de testar a nossa confiança Nele e de fazê-la crescer. Se uma pessoa for pobre a ponto de não ter absolutamente nenhum dinheiro para dar, ela pode dar o seu desejo de dar ou o seu tempo em oração pelos outros. Podemos sempre encontrar uma maneira de dar se tivermos um coração abençoador. Quando ofertamos, sempre obtemos resultados imediatos? Quando um agricultor planta a sua semente na terra, ele recebe uma colheita imediatamente, ou ele tem de regá-la e esperar? Sabemos que ele espera, e nós também teremos de esperar. O tempo da espera é o tempo de teste e de crescimento. Nossa fé é testada quando fazemos o que Deus nos pediu, mas não vimos ainda o resultado da nossa obediência. Mas se não nos cansarmos de fazer o bem, colheremos (ver Gálatas 6:9).

Sei que Deus quer que cada um de nós confie Nele para nos suprir. Ele não quer que nos preocupemos ou que vivamos com medo. A Palavra de Deus está literalmente cheia das Suas promessas de provisão.

> Há aqueles que dão liberalmente [generosamente] e, no entanto, mais se lhes acrescenta; há aqueles que retêm mais do que é justo ou do que é devido, mas isso só resulta em perda. A pessoa liberal enriquecerá, e aquele que dá de beber terá a sua sede saciada.
> — Provérbios 11:24-25

> Aquele que se compadece do pobre empresta ao SENHOR, e aquilo que ele deu Ele lhe pagará de volta.
> — Provérbios 19:17

> Mas busquem (almejem e esforcem-se por obter) em primeiro lugar todo o Seu Reino e a Sua justiça, e então todas estas coisas lhes serão juntamente acrescentadas.
> — Mateus 6:33

Deus promete suprir *todas* as nossas necessidades. Ele talvez não nos dê tudo o que queremos quando queremos, mas será fiel em nos suprir. Deus sempre faz a Sua parte se nós fizermos a nossa, e fazer a nossa parte inclui dizer o que Deus diz. Deus nunca faz apenas o suficiente; Ele sempre faz mais do que o suficiente. Ele colocou uma abundância de peixes no mar quando o criou. Fez com que o povo de Israel aumentasse abundantemente em número enquanto eles eram mantidos cativos no

Egito. Deus é abundante em misericórdia. Ele é poderoso para fazer infinitamente, abundantemente mais e além de tudo o que ousamos esperar, pedir ou pensar. Mas, aos nossos olhos, Deus se torna pequeno demais e esperamos muito menos do que Ele deseja dar.

Dê como Deus lhe pediu para fazer e depois regue sua semente dizendo o que Ele diz sobre a sua provisão. Faça o que for preciso e concorde com Deus, e sua vida melhorará drasticamente.

CAPÍTULO
4

As Características de um Cristão Maduro

A Bíblia fala sobre três tipos de pessoas. Primeiro, há a pessoa não regenerada; o indivíduo natural, não espiritual, que não aceitou ou recebeu as coisas de Deus em seu coração. Não recebeu Jesus como seu Salvador e anda de acordo com a sua própria vontade. O seu espírito está cheio de trevas.

Em segundo lugar, há a pessoa que foi regenerada pelo Espírito Santo através da fé em Jesus Cristo, mas permanece sendo carnal.

Em terceiro lugar, há o crente maduro, uma pessoa que aprende a fazer a vontade de Deus independentemente de como se sinta ou do quanto seja difícil. Trabalha com o Espírito Santo continuamente para ser transformado à imagem de Jesus Cristo. Aprende a dizer o que Deus diz e vive uma vida dedicada ao Senhor e aos Seus propósitos.

Gostaria que todos nós fôssemos como o cristão maduro, mas infelizmente não é esse o caso. Com muito mais frequência do que gostaríamos de pensar, após ter recebido a Cristo como seu Salvador, as pessoas permanecem sendo imaturas ou carnais. Isso significa que nunca crescem nem amadurecem nos caminhos e princípios divinos. A igreja está cheia de cristãos carnais. Receberam Cristo e se importam com as coisas de Deus, mas ainda agem, pensam e falam como crianças. Um cristão imaturo é egoísta, egocêntrico e acha difícil ser feliz a não ser que consiga o que quer na vida.

> Quando eu era criança, falava como uma criança, pensava como uma criança, raciocinava como uma criança; agora que me tornei homem, desisti das coisas de criança e as deixei de lado.
> — 1 Coríntios 13:11

Se não tomarmos a decisão de deixar de lado as coisas de criança, continuaremos sendo cristãos bebês e nunca teremos muito valor para a obra que Deus deseja realizar na Terra. Devemos dedicar de forma decisiva nossos corpos e apresentar tudo que há em nós a Deus para o Seu uso (ver Romanos 12:1). Precisamos tomar essa decisão deliberadamente, porque isso simplesmente não acontecerá de modo automático.

Os coríntios eram nascidos de novo, eram batizados no Espírito Santo, atuavam nos dons do Espírito e, no entanto, Paulo disse que eles eram carnais. Eram controlados por impulsos ordinários. Eram governados pelas suas emoções. Eram invejosos, ciumentos e havia muita divisão e contenda entre eles. Todos esses comportamentos estão enraizados na insegurança. Eles não sabiam quem eram em Cristo e qual era a sua herança. Não sabiam qual era a esperança do seu chamado.

Paulo disse que eles eram incapazes de falar do modo apropriado. Apenas escutando-os falar o apóstolo podia discernir onde estavam no processo de crescimento espiritual. Se fôssemos julgados pelas nossas conversas, onde estaríamos no mapa do crescimento? O cristão carnal é imaturo em seu modo de pensar e de falar.

> Irmãos, não sejam crianças [imaturos] no seu modo de pensar; continuem a ser bebês no [que diz respeito ao] mal, mas em suas mentes sejam [homens] maduros.
> — 1 Coríntios 14:20

Falar demais e ser ríspido também são sinais de imaturidade e, além disso, é um comportamento que causa muitos problemas. Muitas pessoas dizem coisas sem pensar e acabam ferindo os outros. Ao agirem assim, podem até mesmo abrir uma porta para Satanás trabalhar em suas próprias vidas. Precisamos nos lembrar de que, embora possamos lamentar algo que dissemos, a partir do momento em que as palavras são ditas, elas permanecem na atmosfera para sempre. Felizmente, podemos nos arrepender e pedir a Deus para purificar nossos lábios como Isaías fez, mas as palavras são poderosas e não deveriam ser ditas de maneira fútil e impensada.

O objetivo de Deus para nós é que amadureçamos espiritualmente e não sejamos mais controlados pelos nossos próprios pensamentos, emoções e desejos. Ele quer que aprendamos a Sua Palavra e dirijamos nossas vidas de acordo com ela, estando prontos em todo o tempo para sermos os Seus representantes na Terra.

Meus Anos Como uma Cristã Imatura

Desperdicei muitos anos da minha vida sendo uma cristã imatura. Acreditava em Jesus e tinha certeza da salvação que recebi por Seu intermédio. Frequentava a igreja e participava de diversas atividades eclesiásticas. Estava até na equipe de evangelismo da igreja, e saía pelos bairros vizinhos semanalmente com um grupo de pessoas, batendo nas portas e falando às pessoas sobre Jesus. Eu podia falar às pessoas sobre Jesus, mas não agia como Ele. Meu comportamento era muitas vezes bastante "ímpio".

Eu era egoísta e egocêntrica. A maior parte do que eu fazia na vida era feito em benefício próprio. Falava muito sobre mim mesma, e quando falava sobre os outros, geralmente não era de uma maneira gentil ou amável. É impossível enumerar aqui todos os defeitos que eu tinha, mas posso dizer que certamente não estava vivendo para Deus. Acreditava em Deus e queria que Ele me ajudasse, mas não havia feito a transição de deixar de querer que Ele fizesse as coisas para mim e passar a querer fazer as coisas para Ele. Meu comportamento não era guiado pela Sua Palavra.

Hoje lamento ter desperdiçado tantos anos da minha vida nessa fase imatura. Meu comportamento não apenas desagradava a Deus, como também me deixava infeliz. Eu não tinha paz, alegria e sofria terrivelmente por causa da insegurança, da culpa e da vergonha. Eu tentava encontrar importância e valor no que fazia, mas minha vida era cheia de lutas e frustrações.

Encarando a Verdade

Enquanto eu orava e buscava em Deus respostas para o meu problema, Ele me ajudou a começar a encarar a verdade sobre mim mesma. Foi doloroso, mas também transformador. Enquanto estamos enganados, nada muda. Portanto, uma das coisas mais importantes que todos nós precisamos fazer é clamar a Deus pela verdade. A Sua Palavra é a verdade, e se guiarmos nossas vidas e nosso comportamento pela Palavra de Deus, desfrutaremos a vida e daremos bons frutos para Ele.

Uma das verdades que tive de enfrentar era o fato de que minha boca causava muitos problemas em minha vida e nos meus relacionamentos. Aprender o poder das palavras foi literalmente transformador para mim, e minha oração é que eu seja capaz de transmitir a importância do poder das palavras a você. Como você fala? É hora de encarar a verdade. Crentes imaturos falam muitas coisas negativas. Murmurar e reclamar é coisa normal para os cristãos bebês. Eles gostam de fofocas, são muito teimosos e intrometidos. Caem facilmente em atitudes condenatórias, muito embora a Palavra de Deus nos dê uma advertência rígida quanto a isso.

A maioria dos problemas dos cristãos carnais está enraizada no orgulho. Eles têm a si mesmos em altíssima conta, mais do que deveriam, e não valorizam as outras pessoas como Deus quer que façam. Os crentes carnais em geral estão cheios de comparações, de competição, de ciúmes e de inveja. Essas atitudes os deixam sem alegria, frustrados, vazios e infelizes. Jesus veio para que pudéssemos ter vida e desfrutá-la, mas não podemos fazer isso se não amadurecermos espiritualmente.

Independentemente do nosso nível de maturidade, deveríamos querer crescer, mas se percebemos que ainda estamos em um estágio do Cristianismo no qual ainda somos bebês, sem dúvida deveríamos assumir um compromisso com Deus de começar a trabalhar com o Seu Espírito Santo em direção à maturidade.

Sermos cristãos medíocres e comuns não agrada a Deus. Não devemos ser mornos, querendo ser cristãos e ao mesmo tempo amando o mundo e todos os seus caminhos.

A palavra *comum* significa "pura e simplesmente ordinário; de qualidade, capacidade ou nível insignificante". Deus não nos deu o Seu incrível Espírito Santo para vivermos uma vida comum e ordinária. Um cristão comum não se distingue por qualquer espécie de superioridade. Iniciou uma caminhada com Deus e é de fato alguém que crê, frequenta a igreja, carrega uma Bíblia, pode até fazer algumas boas ações, mas não se sobressai aos olhos de Deus. Quer estar seguro e confortável. Quer ser alguém aceito e amado por todos. Seus pensamentos e suas palavras não são excelentes como Deus deseja que sejam.

Grandes mentes falam sobre ideias criativas, mentes medianas falam sobre coisas e mentes pequenas falam sobre pessoas.

— Anônimo

A palavra *medíocre* significa "na metade do caminho até o cume", no entanto, a Palavra de Deus diz que Ele deseja que cada um de nós vá até o fim e alcance as Suas promessas em plenitude (ver Hebreus 6:11). Imagine como seria triste se você fosse um pai ou uma mãe que tivesse coisas maravilhosas para dar aos seus filhos e, no entanto, nunca pudesse fazê-lo simplesmente porque eles nunca amadureceram o suficiente para administrá-las. Deus tem muito para nos dar e para fazer por meio de nós, mas precisamos crescer e seguir até o fim com Ele. Não se contente em ser mediano ou medíocre. Servimos a um Deus grande e tremendo, e Ele quer que sejamos transformados à Sua imagem.

Contentando-se Com Pouco

O cristão imaturo em geral se contenta com muito menos do que aquilo que Jesus colocou à sua disposição. Ele não quer sofrer ou se sentir desconfortável, então não continua em frente quando encontra dificuldades. É bem provável que desista e se contente com o meio do caminho entre o terrível e o grandioso. Um escritor disse: "Eles não voaram alto o suficiente para serem aquecidos pelo sol, tampouco desceram o vale o bastante para congelarem".

Algumas pessoas se contentam porque não há heróis em suas vidas. Não têm ninguém que seja um exemplo para elas de como se recusar a se contentar com menos do que o melhor de Deus. Creio que Deus está procurando pessoas que sejam estrelas e heróis em nome Dele — pessoas que vão até o fim e mostram aos outros o caminho. Jesus fez isso por nós, e precisamos fazer o mesmo pelos outros.

Você Não Pode Ser um Bebê A Vida Inteira

A lei do crescimento gradual governa o universo. Tudo cresce constantemente e pouco a pouco. Se não cresce, então há algo errado. Um bebê que não cresce tem o que os médicos chamam de "déficit de crescimento". Um bebê saudável ganha peso, fica mais alto e aprende coisas o tempo todo. Ele ou ela aprende a se sentar, a ficar de pé, a andar e a correr, e o cristão bebê deveria fazer o mesmo.

Ao passarmos por momentos difíceis na vida, crescemos. Nossas dificuldades são testes e, infelizmente, mais pessoas fracassam nos testes do que são aprovadas. A. W. Tozer disse em seu livro *I Talk Back to the Devil* (Eu Respondo ao Diabo): "É algo solene e assustador... perceber que cerca de 80 a 90% das pessoas que Deus está testando não passarão no teste". Deus faz Sua escolha através desses testes. Ele revela quem ficará firme e progredirá mesmo quando as coisas não forem fáceis. Ele mostra quem pagará o preço da grandeza. Revela com quem poderá trabalhar e através de quem poderá fazer grandes coisas.

Se formos viciados em facilidade e conforto, continuaremos sendo bebês por toda a vida. Muitos cristãos ouvem centenas de pregações ao longo dos anos sobre a importância do perdão — no entanto, grande parte da Igreja ainda está cheia de ira, comportando-se como bebês que ouvem e ouvem, mas nunca aplicam o que ouviram.

Pagamos um alto preço para continuarmos sendo bebês. Elaine e Orrin ficaram extasiados com o nascimento de seu primeiro filho. O garotinho Marcus os enchia de felicidade: cheio de vida, feliz e saudável. Quando o primeiro aniversário de Marcus chegou, seus pais fizeram uma festa para a família e os amigos. Todos se alegraram com aquele bebê de enormes olhos azuis. Seus balbucios adoráveis, seu grande sorriso e o delicioso bolo de aniversário selaram uma grande celebração.

Seis meses depois, porém, seus pais começaram a suspeitar que Marcus não estava se desenvolvendo como deveria. Na verdade, seu tamanho, movimentos e desenvolvimento físico em geral eram os mesmos de quando ele tinha meses de idade. O pediatra examinou-o e concordou com Elaine e Orrin: Marcus não estava progredindo como deveria.

Depois de meses monitorando a criança, os médicos diagnosticaram-no com progéria, uma síndrome rara com características crônicas. Os bebês que têm esse problema não crescem em tamanho como deveriam, mas seus órgãos envelhecem a uma velocidade oito vezes maior que o normal. Essas crianças em geral permanecem do tamanho de um bebê ou de uma criança pequena, apesar de poderem viver até à adolescência. A capacidade cerebral delas em geral não é afetada; na verdade, geralmente são muito inteligentes e extremamente comunicativos. Mas ficam aprisionados em um pequeno corpo que acelera o processo do envelhecimento. Uma criança de dez anos tem em média a saúde de um homem de oitenta anos.

Logicamente, Orrin e Elaine ficaram arrasados. Aquelas pequeninas mãos e pés que eram tão delicadas se tornaram um lembrete diário de que seu filho nunca se desenvolveria normalmente.

O pequeno Marcus tem pais amorosos que estão fazendo tudo que é possível para tornar sua vida abundante e feliz. A ótima disposição do menino ajuda os três à medida que atravessam cada ano que Marcus tem à frente.

Embora muitos pais digam que gostariam que seus filhos continuassem bebês para sempre, Orrin e Elaine sabem o grande pesadelo que isso pode ser. O mesmo acontece com a nossa vida espiritual. O fato é que permanecer sendo um bebê além do tempo normal gera uma vida atrofiada que não permite a satisfação profunda e o progresso do crescimento normal.

Não sucumba à progéria espiritual! Agradeça a Deus porque você tem todas as capacidades para crescer em Cristo e se tornar um cristão maduro completamente funcional.

Os cristãos alcançam diferentes níveis de maturidade, motivo pelo qual Cristo disse que alguns governariam muitas cidades e outros poucas; que alguns receberiam trinta vezes mais, outros sessenta e outros cem vezes mais sobre a semente da Palavra de Deus que havia sido semeada em sua vida (ver Marcos 4:20). Deus não nos dará mais do que o nosso nível de maturidade prova que podemos ser capazes de lidar.

Alguns estão dispostos a ir mais longe que outros, são mais maduros que outros e estão dispostos a sofrer, se necessário, a fim de andarem dentro da vontade de Deus. Não são viciados em seu conforto e conveniência. Lembro-me claramente de um jovem que me disse: "Creio que Deus está me chamando para pregar a Sua Palavra, mas sei que isso significará muito sacrifício, e simplesmente não acho que quero pagar o preço".

No capítulo 4 do evangelho de Marcos a Bíblia nos dá um maravilhoso exemplo dos diversos tipos de cristãos. Dedique algum tempo para ler esse capítulo; ele está repleto da sabedoria de Cristo. Farei aqui um breve resumo. A primeira pessoa ouve a Palavra de Deus, mas Satanás vem e imediatamente rouba a mensagem que foi semeada. Creio que esses cristãos são incapazes de ter foco; eles se distraem e se sentem ofendidos facilmente, o que faz com que tropecem e caiam. Um cristão bebê pode ouvir uma boa pregação da qual realmente necessita, mas por causa da imaturidade, ele se sente ofendido porque o pastor não lhe deu atenção especial depois do culto. Ele vai embora e não pensa mais na mensagem porque só está preocupado com o seu próprio orgulho ferido.

Há aqueles que ouvem a Palavra de Deus e a recebem com alegria, mas não têm raízes. Não estão profundamente arraigados na Palavra de Deus. Eles a ouvem, mas nunca agem com base nela. Assim, embora tenham muito conhecimento intelectual, nada do que ouvem se torna uma revelação em suas vidas. Os problemas e as perseguições surgem e eles ficam descontentes, ressentidos e indignados, acabam tropeçando e caem.

Há outros que ouvem a Palavra, mas os cuidados e ansiedades do mundo, as distrações e o engano das riquezas e do glamour, bem como o anseio pelas coisas do mundo os tentam, sufocando a Palavra. Precisamos ser determinados e apaixonados pelas coisas de Deus.

Por último, vemos em Marcos 4 que a semente semeada no solo bem adaptado é a semente que dá fruto. Em outras palavras, os cristãos maduros são aqueles que ouvem a Palavra e a recebem, aceitam e dão as boas-vindas a ela e... *Dão fruto!* Cada um de nós precisa perguntar a si mesmo se estamos dando fruto. Você está?

Assim como os pais medem a estatura de seus filhos e colocam marcas na parede para acompanhar o seu crescimento ao longo dos anos, deveríamos ser capazes de medir nosso crescimento. Você é cristão há vinte anos e, no entanto, não cresceu no espírito se comparando a quando era um cristão havia dois anos?

Ainda cometo muito erros com minha boca, mas graças a Deus não cometo tantos quanto cometia. Recentemente passei cerca de dois anos estudando o que a Bíblia diz sobre o poder das palavras, da língua, da boca e da nossa confissão. Fiz isso em parte como preparação para escrever este livro, mas, honestamente, a maior parte dessa dedicação foi simplesmente porque eu mesma precisava crescer nessa área. Deus me desafiou a fazer um jejum. Não um jejum de comida, mas de palavras. Isso não significa que eu não fale, mas estou tentando seriamente ouvir e obedecer ao Espírito Santo com relação às palavras que digo — e não dizer nada que Ele não aprovaria.

A Mente Espiritual e a Boca Espiritual

Uma das coisas que digo frequentemente é: "Aonde a mente vai, o homem vai atrás". Também podemos dizer: "Aonde a mente vai, a boca vai atrás". É impossível falar de forma madura se não pensamos de forma madura. Há muito tempo, quando ouvi pela primeira vez uma pregação sobre o poder das palavras e tomei a decisão de que ficaria calada, cumprir o que havia me proposto a fazer — ficando praticamente calada — fazia com que eu me sentisse deprimida no fim do dia. Perguntei a Deus por que eu estava me sentindo deprimida já que havia passado o dia tentando fazer o que pensava que Ele queria que eu fizesse. Nunca me esquecerei do que Deus colocou em meu coração: "Você está mantendo a boca fechada, mas nada mudou no seu interior. Seus pensamentos ainda são maus e é por isso que você está se sentindo deprimida". Na verdade, quando eu estava dando vazão a alguns de meus pensamentos maus, acho que isso aliviava um pouco a opressão que eles geravam, mas eu os estava guardando todos dentro de mim, por isso me sentia péssima!

Nossos pensamentos e nossas palavras são poderosos! Você pode pensar, como eu pensava, que simplesmente não pode controlar o que pensa, mas isso não é verdade. A sua mente é sua, portanto você pode manter os pensamentos de que gosta e expulsar os que não lhe agradam. Deus quer pensar por intermédio de nós, mas Satanás também quer fazer o mesmo. Guarde os pensamentos de Deus e expulse os que são maus. Quando você tiver um pensamento mau, substitua-o imediatamente por um pensamento de Deus. A Bíblia diz que temos a mente da carne e a mente do espírito, de modo que podemos ter pensamentos espirituais ou carnais.

Nossa mente afeta nossa boca, e nossa boca afeta nossa mente. Se pensarmos em alguma coisa por muito tempo, nós a diremos, e se dissermos alguma coisa por muito tempo, nós pensaremos nela. É por isso que ensino as pessoas a pensar e dizer coisas deliberadamente. Faça "sessões de pensamentos" — momentos em que você pensa deliberadamente em coisas que concordam com a Palavra de Deus. Faça "sessões de confissão" — momentos em que você confessa a Palavra de Deus em voz alta. Mesmo que você esteja confessando uma promessa de Deus que pareça maravilhosa demais para se tornar realidade em sua vida, continue confessando-a! Quanto mais fizer isso, mais fácil será acreditar nela.

CAPÍTULO
5

O Que Você Quer no Futuro?

Creio que Deus tem coisas reservadas para cada um de nós, presentes que talvez nunca venhamos a abrir aqui na Terra. Deus quer que os recebamos, os usemos e os apreciemos, mas às vezes não entendemos como cooperar com Deus para receber as coisas que vêm da dimensão Dele (a dimensão espiritual) para a nossa (a dimensão natural).

> Deus... que vivifica os mortos e fala às coisas que não existem [que Ele previu e promete] como se elas [já] existissem.
> — Romanos 4:17

Um dos grandes privilégios que temos, mas do qual frequentemente abrimos mão, é falar de coisas que ainda não se manifestaram como se elas já existissem.

Com a nossa fé, podemos alcançar a dimensão espiritual onde Deus está e falar às coisas que existem ali como se já fossem uma realidade em nossas vidas. Por exemplo, a Palavra de Deus nos encoraja a dizer que somos fortes mesmo quando estamos fracos (ver Joel 3:10). Cremos que a força de Deus está à nossa disposição, então por que continuar dizendo que somos fracos? Vamos começar a falar em fé como Deus fala.

Precisamos dizer o que Deus diz e fazer o que Ele faz se quisermos ser o que Ele quer que sejamos e ter o que Ele quer que tenhamos. Deveríamos confessar as promessas de Deus como se elas já existissem em nossas vidas. Fomos chamados a andar por fé e não por vista. Em outras palavras, acreditamos no que Deus diz na Sua Palavra, ainda mais do que acreditamos no que vemos. O que vemos são fatos, mas a Palavra de Deus é a verdade, e a verdade é maior e mais poderosa do que os fatos.

> Ora, a fé é a certeza (a confirmação, o título de propriedade) das coisas que [nós] esperamos, sendo a prova das coisas que [nós] não vemos e a convicção da sua realidade [a fé percebendo como fato real o que não é revelado aos sentidos].
> — Hebreus 11:1

Se eu lhe mostrasse os documentos do meu carro, você não teria dúvida alguma de que esse carro é meu, mesmo que não pudesse vê-lo. A *Palavra de Deus é o título de propriedade de todas as coisas que precisamos na vida!* Só porque não as vemos ainda, isso não significa que elas não estão preparadas para nós na dimensão espiritual e esperando para nos serem entregues.

Você olha para as coisas que existem e tem a impressão de que nunca mudarão? Você pensa consigo mesmo e diz: *nunca vou ter dinheiro. Nunca vou ser promovido no trabalho. Tenho medo de ficar sozinha para sempre. Tenho medo de me sentir sempre cansado e fraco.* Ou você chama a existência o que deseja ter no futuro?

O que você quer no futuro? Você está cooperando com o que diz querer, falando como se isso já fosse seu? Sei que isso pode parecer um tanto inusitado, mas se Deus pode fazer isso, então podemos fazer o mesmo. Somos filhos Dele, e Ele quer que sigamos o Seu exemplo.

Deveríamos estar dizendo: "Sempre terei dinheiro suficiente para suprir todas as minhas necessidades e o bastante para abençoar outras pessoas". "Sou cabeça e não cauda; irei crescer na vida. Deus me concede o Seu favor". "Sou cercado por bons relacionamentos que agradam a Deus". "Sou forte no Senhor, Ele é a minha força". Nossa confissão pode trabalhar a nosso favor ou contra nós dependendo do que escolhermos dizer. Pode ser feita em particular durante o nosso tempo de oração, ou quando estamos sozinhos dirigindo o carro, ou fazendo outras coisas simples que não exigem toda a nossa atenção. Dizer o que Deus diz sobre o nosso futuro é inteligente, mas verbalizar todas as circunstâncias que nos cercam e os sentimentos que nos sobrevêm não é sábio.

Às vezes tenho a impressão de que minha boca pensa por conta própria. Ela quer colocar para fora todos os meus sentimentos e todo pensamento negativo que passa pela minha mente. Como a Bíblia diz, ela é verdadeiramente como uma fera selvagem difícil de domar. Entender o poder das palavras irá ajudar-nos a sermos mais cuidadosos com o que dizemos. Se você quiser continuar a ter o mesmo problema, simplesmente continue falando sobre ele. Mas se quer ficar livre dele, fale sobre a resposta para o seu problema, como se ela fosse se manifestar a qualquer momento.

Minha Primeira Lição Sobre o Poder das Palavras

Cresci cercada por uma atmosfera muito negativa, por isso, quando criança, desenvolvi uma mentalidade, atitude e palavras muito negativas. Quando comecei a estudar seriamente a Palavra de Deus, Ele me convenceu da minha negatividade e me ensinou que isso era mau aos ouvidos Dele. Fiz um esforço diligente para não dizer coisas negativas, mas depois de vários meses se passarem, eu ainda tinha a impressão de que as circunstâncias ao meu redor não haviam mudado. Fui então falar com Deus reclamando: "Deus, eu parei de ser negativa e nada mudou". Ouvi muito claramente em meu espírito: "Você parou de dizer coisas negativas, mas não começou a dizer nada positivo!"

Naquela época, não sabia nada sobre os princípios que estou compartilhando neste livro, de modo que posso dizer verdadeiramente que o Espírito Santo me deu uma revelação com relação ao poder das palavras. Senti que deveria fazer uma lista de afirmações, que estavam na Palavra de Deus e que gostaria de ver acontecer na minha vida e começar a confessá-las em voz alta duas vezes ao dia. Fiz isso diligentemente e, com o passar do tempo, vi mudanças drásticas.

Na época em que fiz a lista, posso dizer com segurança que nenhuma das coisas que confessei era um fato em minha vida, mas eram verdades na Palavra de Deus. Eram coisas que eu queria ver acontecer e que existiam na dimensão espiritual onde Deus habita.

Eis a lista original que fiz em 1976:

- Sou uma nova criatura em Cristo: as coisas velhas já passaram; eis que tudo se fez novo (2 Coríntios 5:17).
- Morri e ressuscitei com Cristo e agora estou assentada nos lugares celestiais (Efésios 2:5-6).
- Estou morta para o pecado e viva para Deus (Romanos 6:11).
- Fui liberta. Sou livre para amar, para adorar, para confiar sem medo de ser rejeitada ou ferida (João 8:36; Romanos 8:1).
- Sou uma crente, não sou alguém que duvida! (Marcos 5:36)
- Conheço a voz de Deus e sempre obedeço ao que Ele me diz (João 10:3-5, 14-16, 27; 14:15).
- Amo orar; amo louvar e adorar a Deus (1 Tessalonicenses 5:17; Salmos 34:1).
- O amor de Deus foi derramado em meu coração pelo Espírito Santo (Romanos 5:5).
- Eu me humilho e Deus me exalta (1 Pedro 5:6).
- Sou criativa porque o Espírito Santo vive em mim (João 14:26; 1 Coríntios 6:19).
- Amo todas as pessoas e sou amada por todas as pessoas (1 João 3:14).
- Atuo em todos os dons do Espírito Santo, que são as línguas e a interpretação de línguas, a operação de milagres, o discernimento de espíritos, a palavra de fé, a palavra de conhecimento, a palavra de sabedoria, as curas e a profecia (1 Coríntios 12:8-10).
- Tenho um espírito ensinável (2 Timóteo 2:24).
- Vou estudar a Palavra de Deus e vou orar (2 Timóteo 2:15; Lucas 18:1).
- Nunca me canso ou me farto quando estudo a Palavra, quando oro, ministro ou busco a Deus; sinto-me alerta e cheia de energia. E à medida que estudo, fico mais alerta e mais cheia de energia (2 Tessalonicenses 3:13; Isaías 40:31).
- Sou praticante da Palavra. Medito na Palavra o dia todo (Tiago 1:22; Salmos 1:2).
- Sou ungida por Deus para o ministério. Aleluia! (Lucas 4:18)
- Trabalhar é bom, gosto de trabalhar (Eclesiastes 5:19).
- Faço todo o meu trabalho com excelência e com grande prudência, aproveitando ao máximo todo o meu tempo (Eclesiastes 9:10; Provérbios 22:29; Efésios 5:15-16).

- Sou uma mestra da Palavra (Mateus 28:19; Romanos 12:7).
- Amo abençoar as pessoas e difundir o Evangelho (Mateus 28:19-20).
- Sou compreensiva com todas as pessoas e sinto compaixão por elas (Marcos 16:18).
- Imponho as mãos sobre os enfermos e eles são curados (Marcos 16:18).
- Sou uma pessoa responsável. Gosto da responsabilidade e estou à altura de toda responsabilidade em Cristo Jesus (2 Coríntios 11:28; Filipenses 4:13).
- Não julgo meus irmãos e irmãs em Cristo Jesus segundo a carne. Sou uma mulher espiritual e não sou julgada por ninguém (João 8:15; Romanos 14:10; 1 Coríntios 2:15).
- Não odeio e não há em mim falta de perdão (1 João 2:11; Efésios 4:32).
- Lanço todos os meus cuidados sobre o Senhor porque Ele cuida de mim (1 Pedro 5:7).
- Não tenho espírito de medo, mas de poder, de amor e de uma mente equilibrada (2 Timóteo 1:7).
- Não tenho medo do rosto dos homens. Não tenho medo da ira do homem (Jeremias 1:8).
- Não tenho medo. Não me sinto culpada ou condenada (1 João 4:18; Romanos 8:1).
- Não tenho uma postura passiva em relação a nada, lido com todas as situações em minha vida imediatamente (Provérbios 27:23; Efésios 5:15-16).
- Levo todo pensamento cativo à obediência de Jesus Cristo, expulsando todo sofisma e toda altivez que se levanta contra o conhecimento de Deus (2 Coríntios 10:5).
- Ando no Espírito em todo o tempo (Gálatas 5:16).
- Não dou lugar ao diabo em minha vida. Resisto ao diabo e ele tem de fugir de mim (Efésios 4:27; Tiago 4:7).
- Estou atenta ao diabo contra todas as suas mentiras enganosas. Eu as expulso e escolho acreditar na Palavra de Deus (João 8:44, 2 Coríntios 2:11, 10:5).
- Nenhuma arma forjada contra mim prosperará, mas toda língua que se levantar contra mim em juízo, eu a condenarei (Isaías 54:17).

- Assim como o homem pensa em seu coração, assim ele é. Portanto, todos os meus pensamentos são positivos. Não permito que o diabo use meu espírito como um depósito de lixo meditando nas coisas negativas que ele me oferece (Provérbios 23:7).
- Não tenho de mim mesma um conceito mais elevado do que deveria ter (Romanos 12:3).
- Sou lenta para falar, rápida para ouvir e lenta para me irar (Tiago 1:19).
- Deus abre a minha boca, e nenhum homem pode fechá-la. Deus fecha a minha boca, e nenhum homem pode abri-la (Apocalipse 3:7).
- Não digo coisas negativas (Efésios 4:29).
- Estou determinada a não transgredir com a minha boca. Declararei a justiça e o louvor de Deus todo o dia (Salmos 17:3; 35:28).
- Sou uma intercessora (1 Timóteo 2:1).
- A lei da bondade está na minha língua. A mansidão está no meu toque. A misericórdia e a compaixão estão nos meus ouvidos (Provérbios 31:26).
- Farei o que digo que irei fazer e chegarei aos lugares na hora combinada (Lucas 16:10; 2 Pedro 3:14).
- Nunca firo uma irmã ou um irmão com as palavras da minha boca (Efésios 4:29).
- Sou alguém que sempre encoraja as pessoas positivamente. Edifico e levanto; nunca derrubo nem destruo (Romanos 15:2).
- Clamo ao Deus Altíssimo que age em meu favor e me recompensa (2 Crônicas 16:9).
- Cuido bem do meu corpo. Como corretamente, tenho boa aparência. Sinto-me bem e peso quanto Deus quer que eu pese (1 Coríntios 9:27; 1 Timóteo 4:8).
- Expulso demônios; nada mortal pode me ferir (Marcos 16:17-18).
- A dor não pode ter êxito contra o meu corpo porque Jesus levou toda a minha dor (Isaías 53:4-5).
- Não me apresso nem corro. Faço uma coisa de cada vez (Provérbios 19:2, 21:5).
- Uso o meu tempo com sabedoria. Todo o meu tempo de oração e de estudo é gasto sabiamente (Efésios 5:15-16).

- Sou uma esposa obediente e não há em mim nenhuma rebelião (Efésios 5:22-24; 1 Samuel 15:23).
- Meu marido é sábio. É o rei e sacerdote do nosso lar. Ele toma decisões com base na direção de Deus (Provérbios 31:10-12; Apocalipse 1:6; Provérbios 21:1).
- Todos os membros da minha família são abençoados em seus feitos. Somos abençoados quando entramos e quando saímos (Deuteronômio 28:6).
- Meus filhos amam orar e estudar a Palavra. Eles louvam a Deus com ousadia e abertamente (2 Timóteo 2:15).
- Meus filhos fazem escolhas certas de acordo com a Palavra de Deus (Salmos 119:130; Isaías 54:13).
- Todos os meus filhos têm muitos amigos cristãos e Deus separou uma esposa ou marido cristão para cada um deles (1 Coríntios 15:33).
- Sou uma abençoadora. É mais abençoado dar do que receber. Amo abençoar! Sempre tenho dinheiro suficiente para dar a outras pessoas (Atos 20:35; 2 Coríntios 9:7-8).
- Recebo convites para conferências pessoalmente, por telefone e/ou por *e-mail* todos os dias (Apocalipse 3:7-8).
- Sou muito próspera; prospero em tudo onde coloco a minha mão. Tenho prosperidade em todas as áreas da minha vida: espiritual, financeira, mental e social (Gênesis 39:3; Josué 1:8; 3 João 2).
- Tudo o que tenho está pago. Não devo nada a ninguém, exceto o amor em Cristo.

Eu não falava com outra pessoa quando fazia essas confissões. Geralmente ficava sozinha em casa e simplesmente as dizia em voz alta, como um ato de fé. Todas elas eram promessas da Palavra de Deus, de modo que eu estava simplesmente concordando com Ele.

Quando comecei a confessar que todos os meus filhos se casariam com maridos e esposas cristãos, os três mais velhos tinham catorze, doze e dez anos. Meu filho mais jovem nem havia nascido ainda, mas hoje a confissão que fiz há trinta e cinco anos é uma realidade. Eu nunca havia sido convidada para falar em lugar algum, mas comecei a confessar que receberia oportunidades todos os dias. Agora falo em todo o mundo diariamente pela televisão e pelo rádio, além de viajar frequentemente para ministrar em eventos. Esses são apenas dois exemplos, mas ainda fico impressionada com o estado da minha vida antes de fazer essas confissões comparado com a maneira como está agora.

A Palavra de Deus nos diz repetidas vezes para meditarmos nos preceitos de Deus ou para meditarmos na Sua Palavra. *Meditar* significa "refletir continuamente sobre algo", mas também significa "balbuciar, conversar em voz alta consigo mesmo ou declarar alguma coisa".

Você pode pegar a minha lista e adaptá-la à sua vida e às circunstâncias que o cercam. Depois medite nela, confesse-a e veja como Deus se move!

Declare o Decreto!

A Palavra de Deus escrita é o Seu decreto, podemos e devemos declará-la. Antigamente, os reis escreviam a sua vontade para o reino ou o que queriam ver acontecer, e os homens percorriam o reino declarando o decreto. Deus é o nosso Rei, e Ele decretou certas coisas que deseja para nós. Devemos nos ocupar em declarar o decreto do Rei!

O salmista Davi disse: "Eu cri (confiei no meu Deus, dependi Dele e agarrei-me a Ele) e portanto falei" (Salmos 116:10).

O profeta Isaías, falando por Deus, disse: "Eis que as primeiras predições já se cumpriram, e novas coisas Eu vos anuncio; e, antes que sucedam, Eu vo-las farei ouvir" (Isaías 42:9).

Esse versículo deveria ser o suficiente para fazer com que começássemos imediatamente a declarar o decreto (falar a Palavra de Deus).

Sugiro que, até mesmo enquanto lê a Palavra de Deus, você crie o hábito de confessar trechos dela em voz alta. Particularmente, não gosto de ler em voz alta porque isso costuma me deixar cansada. Mas frequentemente, enquanto leio, falo partes do que leio em voz alta. Posso dizer: "Deus é misericordioso e lento em irar-se". "Meus pecados estão perdoados e Deus não se lembra mais deles". "Deus é minha justiça, e Ele cuidará dos meus inimigos". Quando digo essas palavras em voz alta, elas exercem um impacto ainda maior em mim.

Qual foi a primeira coisa que você disse depois de se levantar esta manhã? Talvez você tenha determinado o clima do restante do seu dia. Percebi que é muito importante que eu tenha os pensamentos corretos e diga as palavras certas desde o momento em que me levanto. Estou sempre pensando em algo, e preciso tomar cuidado para não me deixar levar por coisas como preocupação ou lembranças de algo que alguém disse e que realmente me feriu. Creio que podemos profetizar (declarar) a favor do futuro do nosso dia através do que dizemos no começo dele.

Se a direção de um cavalo pode ser mudada por um freio em sua boca, e se um navio pode ser dirigido por um pequeno leme, então creio que a direção de nossas vidas pode ser mudada pelas palavras que pronunciamos com os nossos lábios.

Você Pode Abençoar ou Amaldiçoar Seu Futuro

A maioria de nós não usa a boca para o que Deus a criou. Há um grande poder e autoridade nas palavras. O tipo de poder que temos depende do tipo de palavras que dizemos. Podemos amaldiçoar nosso futuro falando mal dele ou podemos abençoá-lo falando bem dele.

Você tem algum tipo de sonho ou visão para o seu futuro? Existem coisas que você adoraria ver acontecer nos dias, meses e anos vindouros? Espero sinceramente que sim, porque sem objetivos, ficamos sem direção e muito desmotivados. Talvez você diga: "Sim, tenho um grande sonho". Minha pergunta é: suas palavras têm estado alinhadas com o que você diz querer? Quando meu marido deixou o emprego na empresa de engenharia onde trabalhava para estar comigo em tempo integral no ministério, um colega de trabalho disse: "Dave, você percebe que começou a dizer que um dia sairia daqui e iria para o ministério em tempo integral há cerca de sete anos?" Dave disse por sete anos algo que ele acreditava ser a vontade de Deus. Você tem tanta paciência assim? Está disposto a declarar seu sonho ou sua visão em voz alta, embora possa parecer impossível neste momento?

O profeta Habacuque disse que Deus lhe ordenou escrever sua visão claramente para que todos os que passassem pudessem lê-la fácil e rapidamente (ver Habacuque 2:2). Ele continuou declarando que Deus havia lhe dito que o tempo não era aquele ainda, mas no dia marcado, a visão se cumpriria. Deus queria que o Seu povo mantivesse a visão em mente para que não se tornassem passivos na fé. Talvez você tenha uma visão para a sua vida ou para os seus familiares que precisa escrever e ler em voz alta com frequência.

Você está incrivelmente empolgado com o seu futuro? Ou você tem uma atitude passiva e está esperando *para ver o que acontece*? Não fique simplesmente esperando, mas faça com que as palavras trabalhem a seu favor. Use palavras cheias de fé para ter acesso à dimensão espiritual e entrar em concordância com Deus. Diga a Deus todos os dias que você está esperando que algo incrivelmente bom aconteça com você. Ao sair pela manhã, diga: "Hoje, Deus está me concedendo favor em todos os lugares onde eu for".

É fácil falar sobre como você se sente ou sobre como é o mundo, mas isso não vai ajudá-lo. Estou pedindo a você para o seu próprio bem e por amor a Deus que escolha um caminho mais excelente. Fale deliberadamente e faça as suas palavras valerem a pena. É fácil dizer: "Sinto que ninguém se importa comigo", "Tenho medo que este possa ser um dia terrível", "Estou cansado e detesto ir trabalhar". Esse tipo de palavras virá naturalmente, mas você pode viver sobrenaturalmente. Você pode falar como Deus e dizer o que Ele diria. Você consegue sinceramente imaginar Deus dizendo: "Tenho medo que este possa ser um dia terrível"? É claro que não! Ele diria algo tremendo e positivo, e nós podemos fazer o mesmo.

Não apenas o seu dia está em jogo, como toda a sua vida. Que tipo de futuro você quer para si e para os seus entes queridos? O que digo hoje está construindo um futuro para meus filhos e netos. Isso não quer dizer que não teremos nenhum problema ou decepção na vida, mas até mesmo em meio a eles, devemos declarar coisas boas se quisermos ter um bom resultado. Precisamos declarar algumas coisas por mais tempo que outras, e temos de falar coisas positivas sobre algumas pessoas por mais tempo do que sobre outras. Uma coisa é certa: ganhamos mais dizendo algo que permitirá a Deus fazer com que as coisas cooperem para o nosso bem do que algo que coopera com o plano do diabo de destruição e malignidade.

Dando Nova Vida a Coisas Mortas

Às vezes olhamos para determinadas circunstâncias em nossas vidas e sentimos que não há esperança alguma de mudança. Quando Lázaro já estava morto havia quatro dias, sua irmã Marta não acreditou que Jesus pudesse fazer algo a respeito. Aos olhos dela, não havia nenhuma esperança. Mas Jesus ressuscitou Lázaro dos mortos (ver João 11:39-44), e isso provou que nada é impossível para Deus.

No relato bíblico, Jesus pediu ao povo que estava de pé ao redor do túmulo de Lázaro para dar um passo de fé e remover a pedra que estava diante dele. Acho isso muito interessante, porque se Jesus podia ressuscitar Lázaro dos mortos, por que precisava de outras pessoas para remover a pedra? Porque o passo de fé deles liberou o restante do milagre que era necessário. Deus nos pede para fazer o que Ele pode fazer e depois faz o que não podemos fazer.

Quando estamos sem esperança, geralmente não tomamos nenhum tipo de atitude. Pensamos que nada do que fizermos fará diferença. Talvez não nos esforcemos parar orar ou acreditamos que nossa confissão não importa mais, então desistimos. Existem coisas na sua vida para as quais você acha que não têm esperança ou das quais desistiu? Se for o caso, estou pedindo que você ponha novamente sua fé em ação e comece a declarar vida sobre as áreas mortas que precisam de ressurreição.

Em Ezequiel, encontramos um exemplo perfeito de como declarar a Palavra de Deus sobre situações aparentemente impossíveis opera milagres:

> A mão do SENHOR estava sobre mim, e Ele me levou no Espírito do SENHOR e me colocou no meio do vale; e ele estava cheio de ossos.
>
> E Ele me fez passar ao redor deles, e eis que havia numerosos [ossos humanos] no vale aberto ou planície, e eis que estavam muito secos.
>
> E Ele me disse: "Filho do homem, podem estes ossos viver?" E eu respondi: "Ó SENHOR Deus, Tu o sabes!" (37:1-3).

Vamos parar um instante antes de prosseguirmos e realmente pensar no que Ezequiel estava vendo e o que ele deve ter pensado. Em todo lugar para onde olhava, ele via morte, e tudo estava seco, sem mostrar qualquer sinal de vida. Enquanto andava entre os ossos, com certeza ele sentiu que aquela era uma situação para a qual não havia esperança.

Quando Deus perguntou se os ossos secos podiam viver novamente, pelo menos a resposta de Ezequiel não foi: "De jeito nenhum!" Ele deixou a porta aberta para Deus trabalhar dizendo que só Deus sabia a resposta, e Deus disse a resposta a Ezequiel. Ele disse ao profeta para profetizar a palavra do Senhor aos ossos.

> Novamente Ele me disse: "Profetiza a estes ossos e diga a eles: 'Ossos secos, ouçam a palavra do SENHOR'".
>
> Assim diz o SENHOR Deus a estes ossos: "Eis que farei que o espírito e a respiração entrem em vocês, e vocês viverão; e Eu porei tendões sobre vocês e farei crescer carne sobre vocês e os cobrirei com pele, e colocarei o espírito em vocês, e vocês [ossos secos] viverão; e vocês saberão, entenderão e perceberão que Eu sou o SENHOR [o Soberano Regente, que requer lealdade e serviço obediente]".
>
> E olhei, e eis que havia tendões sobre [os ossos] e cresceu carne sobre eles e a pele os cobriu, mas não havia sopro ou espírito neles (37:4-8).

Ezequiel havia visto coisas maravilhosas acontecerem como resultado de obedecer a Deus. Imagino que ele se sentiu um tanto tolo enquanto falava com aqueles ossos. Sei que eu me sentiria assim. Senti-me tola até mesmo de pé em minha casa falando a Palavra de Deus em voz alta quando comecei a fazê-lo. Ezequiel precisou ter fé para obedecer a Deus. Enquanto ele declarava a Palavra de Deus aos ossos secos, eles começaram a se juntar, mas embora algo impressionante tivesse acontecido, os ossos ainda não tinham vida ou espírito neles!

O que Ezequiel faria agora? Ele desistiria ou seguiria em frente? Ele esperou que Deus falasse e lhe foi dito para continuar profetizando, e ele obedeceu.

> Profetiza ao espírito, filho do homem, e diz ao espírito: "Assim diz o SENHOR Deus: 'Vem dos quatro ventos, ó espírito, e sopra sobre estes mortos para que vivam'".
>
> Então profetizei como Ele me ordenou, e o espírito entrou neles [os ossos], e eles viveram e se levantaram sobre seus pés, um exército extremamente grande (37:9-10).

Estou certa de que Ezequiel ficou muito feliz por não ter desistido quando enfim viu os ossos ganharem vida e se levantarem sobre seus pés. Tente imaginar essa cena.

Um casamento morto pode reviver? Alguma coisa boa pode vir de um passado cheio de fracasso e miséria? Pode alguém que esteve doente durante a maior parte da vida ter e desfrutar energia e boa saúde? Pode alguém que está afundado em dívidas ver o dia em que terá todas as suas necessidades supridas e não deverá nada a ninguém? A resposta a todas estas perguntas é sim, sim, sim e sim. Não direi que meramente profetizar a Palavra sobre circunstâncias mortas é o bastante. Obedecer a tudo o que Deus instruir você a fazer é vital nesse processo, mas manter sua boca cheia do que você quer em vez de falar do que você sempre teve é um componente importante da sua vitória definitiva.

Você Está Disposto a Lutar?

Você está disposto a lutar pelas áreas aparentemente mortas de sua vida ou vai simplesmente desistir? Paulo disse a Timóteo que ele teria de combater o bom combate da fé. Sua cura e restauração podem demorar mais do que você gostaria. Pode ser mais difícil do que você imagina e custar mais do que você jamais pensou que poderia suportar. Mas definitivamente valerá a pena no fim. Imagine como a família e os amigos de Lázaro se sentiram quando ele saiu andando daquele túmulo ou como Ezequiel se sentiu quando ele viu o resultado de sua fé. Imagine o impacto e o sentimento de satisfação que você terá se completar sua corrida.

CAPÍTULO

6

Permanecendo Forte Durante as Tempestades da Vida

> Quando o mundo diz: "Desista", a Esperança sussurra: "Tente novamente".
>
> — Autor Desconhecido

É muito fácil ser forte na fé e manter uma boa confissão quando tudo vai bem na vida e não temos problemas ou desafios. É uma história muito diferente quando as provações e tribulações chegam. Esses são os testes da vida, e esses são os momentos em que é extremamente importante que fiquemos firmes e tomemos muito cuidado com o que dizemos.

O problema nos tenta a dizer e fazer todo tipo de coisas que não faríamos nos momentos tranquilos. Jesus foi tentado em todos os aspectos assim como nós somos e, no entanto, Ele nunca pecou. Suas palavras eram cheias de fé até mesmo enquanto Ele enfrentava a morte por crucificação.

Ele escolhia não falar muito durante esses momentos, e suponho que fazia isso para não dizer nada que desse uma oportunidade a Satanás.

> Já não falarei muito mais com vocês, porque o príncipe (governante, gênio do mal) do mundo está vindo. E ele não tem nenhum

direito sobre Mim. [Ele não tem nada em comum comigo; não há nada em Mim que pertença a ele, e ele não tem nenhum poder sobre Mim].

— João 14:30

Esse versículo é impactante para mim porque me ensina a importância crucial de não falarmos nada precipitadamente com base nas nossas emoções quando estamos sofrendo ou nos momentos em que nos sentimos sob pressão. Jesus estava dizendo aos Seus discípulos que estaria deixando o mundo muito em breve, e que havia chegado a hora de que Ele lhes havia falado. Era hora de fazer o que Seu Pai o havia enviado para fazer. Era hora de levar os pecados do mundo sobre Si e morrer no nosso lugar. O sofrimento que Jesus estava prestes a suportar era inimaginável. Eu me pergunto o que qualquer um de nós teria dito naquela situação. O que teria saído da nossa boca: medo, preocupação, pânico, reclamação, dúvida e incredulidade?

Jesus estava decidido a não dar lugar a Satanás falando palavras que lhe dessem a oportunidade de impedir o plano de Deus. Como você fala quando os problemas surgem? Creio que perdemos muitas batalhas estritamente porque usamos as palavras erradas. Não derrotaremos Satanás com reclamação, autocomiseração, medo e preocupação. Precisamos erguer o escudo da fé, usar o capacete da salvação e empunhar a espada do Espírito, que é a Palavra de Deus (ver Efésios 6:16-18).

Antes de entender o poder das palavras, eu me perguntava o que a Bíblia queria dizer com: "Ele foi oprimido, [no entanto, quando] Ele foi afligido, Ele foi submisso e não abriu a Sua boca; como um cordeiro que é levado ao matadouro e como uma ovelha diante dos seus tosquiadores ficam mudos, também Ele não abriu a Sua boca" (Isaías 53:7). Mas agora entendo, e estou plenamente convicta de que precisamos seguir o mesmo exemplo.

Não há nada que exija de nós mais domínio próprio do que não falar negativamente em uma situação que consideramos ser negativa. A boca quer dar expressão à alma e deixar jorrar tudo o que ela pensa e sente. Mas em tempos assim, precisamos ir mais fundo do que pensamos e sentimos, pensando e falando com base no nosso espírito renovado. Esses são momentos importantes para concordar com Deus e dizer o que Ele diz em Sua Palavra.

Conversas Tolas

Não haja torpeza (obscenidade, indecência), nem conversas tolas e pecaminosas (néscias e corruptas), nem gestos grosseiros, os quais não são convenientes ou adequados, mas em vez disso, expressem a sua gratidão [a Deus].

— Efésios 5:4

Quando estamos angustiados, podemos dizer algumas coisas muito tolas. Eu tinha o hábito de dizer: "Estou cansada e farta de problemas" ou "As coisas boas nunca duram em minha vida". Qual frase de efeito você usa repetidamente quando está frustrado? Conheço uma pessoa que usa muito a palavra *morte*. Ela ama as pessoas até a *morte*, as coisas a empolgam até a *morte*, e ela diz: *os meus problemas vão ser a minha morte*. Se eu estiver com ela o dia inteiro, talvez ouça a palavra *morte* sair de sua boca dez vezes. Ela é uma cristã maravilhosa que ama a Deus, mas tem o mau hábito de usar uma linguagem que não é sábia e pode até lhe fazer mal.

Frequentemente as pessoas usam a expressão *eu odeio*. Elas odeiam o trajeto até o trabalho, odeiam limpar a casa, ir ao mercado, cortar a grama, pagar as contas e assim por diante. É só uma expressão, mas carrega em si um grande poder. Todas as vezes que dizemos que odiamos alguma coisa, se torna mais difícil fazê-la com alegria da próxima vez. Comece a dizer que você gosta dessas coisas que são mais difíceis para você. Comece a dizer isso em obediência a Deus, e logo você descobrirá que elas se tornaram mais agradáveis. Podemos convencer a nós mesmos a gostar ou não gostar de alguma coisa. Posso me convencer a detestar algo que preciso fazer ou posso ter uma atitude positiva e falar palavras boas sobre isso, tornando a situação muito mais agradável.

Comece a prestar atenção às palavras e expressões tolas que saem de sua própria boca e peça a Deus para ajudá-lo a formar novos hábitos. Talvez você pensasse antes que aquelas eram apenas palavras, mas agora que sabe que elas têm poder, vai querer fazer com que todas as suas palavras cooperem para o bem.

Aprendendo a se Comportar na Tempestade

Como eu disse, um dos momentos mais difíceis para controlar nossos pensamentos, emoções, atitudes e palavras é durante as tempestades da vida, mas é também um dos mais importantes momentos para fazê-lo. Jesus se encontrou com os discípulos à beira do lago, entrou no barco com eles e disse: "Vamos passar para o outro lado". Lembre-se de que quando Jesus diz que algo acontecerá, podemos ter certeza de que é verdade. Jesus não lhes disse quanto tempo levaria para chegarem ao outro lado do lago ou o quanto a jornada poderia ser difícil. Ele simplesmente esperava que os discípulos confiassem Nele com relação a todos esses detalhes.

Quando Deus colocou em meu coração que um dia eu ensinaria Sua Palavra em todo o mundo, não fazia ideia de com quantas tempestades eu me depararia antes de chegar ao meu destino. Deus sabia, e Ele já tinha um plano para me livrar de cada uma delas. Mas Ele precisava me ensinar a confiar Nele. Até mesmo as tempestades da vida têm um propósito. Deus as usa para aumentar a nossa fé e para nos ajudar a fortalecer nosso caráter cristão.

Por exemplo, a paciência é um fruto do Espírito do qual precisamos desesperadamente em nossas vidas. Herdamos as promessas de Deus por meio da fé e da paciência, mas a definição de *paciência* nos diz que ela só cresce na provação. Podemos orar pedindo paciência, mas o que realmente receberemos é uma tempestade. Não gostamos disso, mas Deus tem algo bom em mente. Ele está na realidade respondendo à nossa oração e nós simplesmente não nos damos conta disso. Passar pelas tempestades da vida será muito mais fácil para nós se aprendermos a dizer imediatamente: "Algo bom vai sair disto". Recentemente chegamos ao aeroporto para embarcar em uma viagem e descobrimos que havia algum problema mecânico com o avião e que talvez não pudéssemos decolar. Era uma viagem que estávamos aguardando ansiosamente e que havíamos planejado por muito tempo, de modo que naturalmente a primeira coisa que sentimos foi frustração e decepção. Mas felizmente aprendemos a respirar fundo e pensar antes de falar. Vários dentre nós disseram: "Todas as coisas cooperam para o bem, de modo que se não conseguirmos ir, talvez seja porque não era para irmos". Percebi que minha alma imediatamente começou a se acalmar. Tivemos de esperar por cerca de duas horas, e durante esse tempo nos esforçamos para manter uma atitude positiva e uma confissão positiva. O avião foi consertado e por fim embarcamos em nossa viagem, mas poderia não ter sido assim se todos tivéssemos falado negativamente durante as duas horas em que estávamos esperando.

Eu me pergunto quantas vezes acontece uma pequena tempestade em nossas vidas e nós a transformamos em um tornado através das palavras negativas que dizemos. Sei que sempre me sinto tentada a reclamar quando as coisas não saem como o esperado, mas aprendi que fazer isso na verdade é algo perigoso e pode abrir a porta para todo tipo de mal. Deus quer que nós o louvemos e exaltemos em todo o tempo, e não apenas quando as coisas estão saindo como esperávamos.

Quando os discípulos estavam iniciando sua jornada, uma tempestade da proporção de um furacão se levantou. Jesus estava dormindo no fundo do barco, e os discípulos ficaram terrivelmente amedrontados. Eles acordaram Jesus, perguntando se Ele não se importava por eles estarem perecendo. Jesus se levantou e repreendeu a tempestade e ela silenciou, depois Ele repreendeu os discípulos por seu medo e incredulidade (ver Marcos 4:35-41). O versículo seguinte diz: "Eles chegaram ao outro lado do mar". O que sempre se destacou para mim foi o fato de que eles chegaram ao outro lado assim como Jesus havia dito que chegariam. Eles poderiam ter ficado em paz e desfrutado a jornada, mas, em vez disso, permitiram que a tempestade controlasse suas emoções, atitudes, pensamentos e palavras.

Jesus disse que no mundo teremos tribulações. As tempestades são uma promessa! Todos nós passamos por elas, e elas representam um dos momentos mais importantes da vida para manter uma boa confissão.

Quando as tempestades chegarem à sua vida, lembre-se de que Jesus está no barco. Ele está com você em todos os momentos e irá levá-lo ao outro lado.

Fé para o Meio

Começar algo geralmente é fácil porque temos muitas emoções para nos ajudar. As coisas novas são excitantes e todos nos incentivam. Quando chegamos ao nosso destino, também ficamos empolgados, mas e quanto ao meio do caminho? Foi no meio de sua jornada que os discípulos passaram pela tempestade. Eles começaram bem e terminaram bem, mas precisaram de mais fé quando estavam no meio do caminho. Gosto de dizer que precisamos de fé para o meio das nossas jornadas na vida.

Nunca sabemos quanto tempo nossas jornadas levarão, mas a experiência me ensinou que a maioria delas demora mais do que o esperado. Alguns amigos meus recentemente começaram a construir uma casa nova. Eu disse-lhes que deveriam se planejar levando em conta que tudo demoraria mais e custaria mais do que eles haviam pensado originalmente. Eu não estava sendo negativa, mas estava falando por experiência própria. Por que as coisas acontecem assim? Sempre existem coisas inesperadas que acontecem no meio de todo projeto e que geram atrasos. Podemos evitar a decepção acrescentando uma folga de tempo a cada projeto.

As pessoas chegam atrasadas nos compromissos porque não se planejam nem se preparam para os imprevistos. É sábio esperar o inesperado. Podemos receber um telefonema inesperado que não pode ser ignorado. Ou se você for como eu, talvez esqueça alguma coisa e precise voltar em casa para buscar. Depois você não consegue encontrá-la e tem de gastar tempo procurando por ela. Houve vezes em que entrei no carro e não conseguia encontrar meu celular, então voltei para dentro de casa e não conseguia encontrá-lo em lugar algum. Por fim, pedi a outra pessoa em casa para ligar para o meu telefone para que eu pudesse seguir o som, e acabei encontrando-o no fundo da minha bolsa dentro do carro. Todo esse tempo foi perdido, mas se não separo tempo para o inesperado, acabo apressada e frustrada.

Infelizmente, muitas pessoas não vencem as tempestades da vida. Desistem ou então começam a fazer e a dizer coisas tolas e abortam a jornada completamente. É fácil começar, mas Deus está procurando por pessoas que irão até o fim.

O apóstolo Paulo declarou a posição que ele tomaria a fim de concluir sua jornada:

> Mas nenhuma dessas coisas me abala; nem considero a minha vida preciosa para mim mesmo, contanto que complete a minha carreira com alegria.
> — Atos 20:24

Você está no meio de uma jornada agora mesmo e uma tempestade está se formando? Encorajo você a dizer o que Paulo disse. Declare que nada o impedirá e que você não vai desistir. Continue dizendo: "Concluirei a minha jornada e chegarei ao meu objetivo".

Eis uma lista de coisas que podemos dizer quando a tempestade se levanta furiosamente:

- Deus é a minha força e posso fazer tudo o que preciso fazer na vida por meio de Cristo.
- Deus nunca permite que venha a nós mais do que podemos suportar, mas para cada tentação, Ele sempre provê o escape.
- Todas as coisas cooperam para o bem daqueles que amam a Deus e são chamados de acordo com o Seu propósito.
- Deus é fiel e Ele me ama. Ele nunca me deixa nem me abandona.
- Deus não foi surpreendido por essa tempestade, porque Ele sabe todas as coisas do princípio ao fim.
- Sou mais que vencedor por meio de Cristo que me fortalece.
- Já derrotei os agentes do anticristo porque maior é Aquele que está em mim do que aquele que está no mundo.
- Estou sendo fortalecido espiritualmente por meio dessa tempestade.
- Não temerei, porque Deus está comigo.
- O tempo de Deus é perfeito, e essa tempestade acabará na hora exata.

Ou, se você quiser ser infeliz e talvez nunca atingir seu objetivo, pode dizer coisas do tipo:

- Não entendo por que isto está acontecendo — onde está Deus?
- Não suporto mais isto.
- Detesto isto.
- Vou desistir.
- Isto é difícil demais.
- Deus, você não me ama?
- Estou confuso; tento fazer o que é certo e veja o caos em que estou.
- Nada nunca dá certo para mim.
- Estou cansado e farto de problemas.

Qual dessas listas você vai escolher?

O que dizemos é escolha nossa, mas precisamos nos lembrar de que as nossas palavras têm poder. Elas têm o poder da vida e da morte (ver Provérbios 18:21). Prestaremos contas de nossas palavras.

Eu lhes digo, no dia do juízo os homens terão de prestar contas por cada palavra frívola (inoperante, inativa) que disseram.

— Mateus 12:36

Quando eu comparecer diante de Deus no dia do juízo para prestar contas da minha vida, não quero que Ele me pergunte por que desperdicei tanto do poder que Ele me ofereceu falando palavras vãs e inúteis. Creio que não apenas prestaremos contas a Deus, como também somos responsáveis enquanto estamos aqui na Terra. Colhemos o fruto das sementes que plantamos. Podemos dizer o que quisermos, mas a liberdade é sempre seguida pela responsabilidade e pela prestação de contas. Deus nos incentiva a fazer as coisas do jeito Dele, mas Ele não nos obriga. A escolha cabe a nós.

O que Fazer Quando Você Cometer Erros

Cometeremos erros com a nossa boca, e quando o fizermos, podemos pedir a Deus para nos perdoar e continuar seguindo em frente. Isaías estava na presença de Deus, e uma das primeiras coisas que ele entendeu foi que era um homem de lábios impuros (ver Isaías 6:1-5). Deus enviou um anjo com brasas de fogo e com elas purificou os lábios de Isaías e disse: "A tua iniquidade e a tua culpa foram tiradas" (Isaías 6:7). Glória a Deus porque podemos ser perdoados e ter um novo começo. Deus nunca esgota os novos começos, e a Sua misericórdia se renova todos os dias. Aleluia! Quando você começa a confessar seus pecados, pode se sentir oprimido pelos erros que comete. Você os cometia o tempo todo, mas agora está se tornando consciente deles. Essa é realmente uma boa notícia, porque a verdade está libertando-o. Nunca se sinta desanimado quando o Espírito Santo o convencer do pecado em alguma área de sua vida, mas em vez disso alegre-se por poder reconhecer a convicção Dele, se arrepender e começar de novo.

Satanás quer que nós nos sintamos desvalorizados e incapazes de fazer a coisa certa. Não acredite nas mentiras dele! Ele é o Acusador dos Irmãos, mas quando ele acusá-lo, simplesmente responda ao diabo e diga: "Sou um filho de Deus. Ele me ama e sou perdoado. Posso não ser perfeito, mas estou progredindo e nunca vou desistir de tentar melhorar enquanto eu viver".

CAPÍTULO 7

Derrote Seus Inimigos

Suponho que todos nós acreditamos ter inimigos. As pessoas podem facilmente passar para a categoria de "inimigas" se nos causarem problemas. As circunstâncias desagradáveis pelas quais passamos também são vistas como inimigas. Mas a verdade é que temos *um* inimigo: Satanás e os demônios que cumprem as ordens dele. Nunca podemos derrotar o nosso inimigo até que saibamos quem ele é.

Eu já era cristã havia muitos anos quando finalmente entendi que o diabo era real e a fonte dos problemas que eu tinha na vida. Combater o inimigo errado e esperar vencer a batalha seria como ter um problema cardíaco e receber o tratamento para uma perna quebrada. Seu coração não melhoraria, enquanto seu tempo e seu dinheiro seriam desperdiçados. O apóstolo Paulo disse que a nossa guerra não é contra a carne e o sangue:

> Porque não estamos lutando contra a carne e o sangue [combatendo somente oponentes físicos], mas contra os despotismos, contra as potestades, contra [os espíritos dominadores que são] os governantes das trevas do mundo atual, contra as forças espirituais da maldade na esfera celestial (sobrenatural).
> — Efésios 6:12

Embora Satanás possa trabalhar por meio das pessoas para nos ferir e possa usar circunstâncias de todo tipo para nos tentar e nos distrair, precisamos nos lembrar de que ele é o verdadeiro inimigo — não as pessoas e as circunstâncias que ele usa.

Quando Satanás tentou usar Pedro para impedir Jesus de seguir o plano de Deus para a Sua vida, Jesus sabia quem era seu verdadeiro inimigo, e falou diretamente com o espírito demoníaco que atuava por meio de Pedro.

> Mas Jesus afastou-se de Pedro e lhe disse: "Para trás de Mim, Satanás! Tu estás no Meu caminho [és um laço, um impedimento e uma ofensa para Mim], pois tu cogitas e participas não da natureza e da qualidade de Deus, mas dos homens".
>
> — Mateus 16:23

Infelizmente, há momentos em que todos nós deixamos o diabo nos usar para ferir outras pessoas. A não ser que sejamos muito maduros espiritualmente, ele pode trabalhar através da nossa carne, e geralmente não temos consciência de que ele está fazendo isso. Costumamos dizer ou fazer coisas que ferem as pessoas ou podemos criar circunstâncias problemáticas através do nosso comportamento tolo. Satanás opera por intermédio das nossas fraquezas, mas Jesus nos fortalecerá através delas se aprendermos a reconhecê-las e a levá-las a Ele diariamente.

Por exemplo, nossas bocas geralmente constituem uma área de fraqueza para nós. Dizemos coisas que ferem as pessoas e causam problemas para nós mesmos. Continuaremos agindo assim até entendermos o dano que a língua pode causar e dependermos fortemente de Deus diariamente para nos ajudar e fortalecer nessa área de fraqueza.

À medida que amadurecemos em Deus, nos permitimos ser usados cada vez mais por Ele, e cada vez menos pelo diabo. Podemos nos tornar uma bênção em todos os lugares onde formos se trabalharmos para o Espírito Santo e aprendermos a ouvi-lo.

Em Lucas 4, Jesus é levado ao deserto pelo Espírito Santo para ser tentado pelo diabo. Ele permaneceu ali por quarenta dias, durante os quais jejuou e resistiu com êxito a diversas mentiras de Satanás. Jesus lutou contra o diabo e venceu! Podemos fazer o mesmo. Somos vencedores, a não ser que nos tornemos reclamadores! Precisamos tomar cuidado com o que dizemos durante a batalha. Quando estiver em uma batalha, certifique-se de falar palavras sábias, dizendo coisas que concordam com a Palavra de Deus, e não coisas cheias de medo, preocupação e reclamação.

Use a Sua Armadura e Use as Suas Armas

Deus sempre nos dá tudo o que precisamos para nos capacitar a sermos vitoriosos nesta vida, e Ele nos deu o que precisamos para derrotar Satanás. Em primeiro lugar, temos o nome de Jesus. Há poder nesse nome, no céu, na Terra e debaixo da Terra, e à menção do Seu nome, todo joelho deve se dobrar (ver Filipenses 2:9-10). Jesus nos deu permissão para usarmos o Seu nome. Quando oramos em Seu nome é como se Ele mesmo estivesse orando, porque estamos apresentando ao Pai tudo o que Jesus é. O nome Dele representa tudo o que Ele fez, e tudo o que Ele é. Recomendo que você leia um bom livro ocasionalmente sobre o poder que há no nome de Jesus. Sinto que preciso ser lembrada de algumas das coisas mais importantes que aprendi. Preciso ter a minha fé renovada e colocá-la em prática. Quando Jesus nos deu o Seu nome para usarmos aqui na Terra, Ele nos deu um presente tremendamente poderoso, e precisamos usá-lo para a glória de Deus.

O apóstolo Paulo nos ensinou que as armas da nossa guerra não são carnais — elas não são armas de carne e sangue. Portanto, devem ser armas espirituais. Deus não nos deixou revólveres, canhões e facas para combatermos Satanás, mas nos deixou armas poderosas.

Ele nos deixou o Seu nome, o Seu sangue e a Sua Palavra. A Palavra de Deus usada adequadamente é essencial para a nossa vitória. Podemos cantar a Palavra, falar a Palavra, pregar a Palavra, ensinar a Palavra, ouvir a Palavra, bem como ler e estudar a Palavra. A Palavra de Deus é a verdade e ela é a única coisa que derrotará as mentiras e enganos de Satanás. Quando Satanás disse a Jesus que se Ele o adorasse apenas uma vez, daria a Ele todos os reinos do mundo, Jesus disse: "Para trás de Mim, Satanás. Está escrito, prestarás homenagem e adorarás ao Senhor teu Deus, e só a Ele servirás" (Lucas 4:8). Jesus conhecia a Palavra e a declarou. Ele usou a espada afiada de dois gumes da Palavra de Deus contra o Seu inimigo, Satanás.

> Porque as armas da nossa milícia não são físicas [armas de carne e sangue], mas elas são poderosas diante de Deus para a derrota e a destruição de fortalezas.
>
> — 2 Coríntios 10:4

As fortalezas sobre as quais Paulo fala estão na nossa mente. São áreas dominadas por Satanás através das mentiras nas quais acreditamos. A única arma poderosa o bastante para destruir essas mentiras é a Palavra de Deus. Quando a conhecemos, cremos nela, a obedecemos e a declaramos, Satanás se torna rapidamente um inimigo derrotado.

Paulo também ensinou que Deus nos deu seis peças de armadura e que precisamos vesti-las e resistir a Satanás. Nenhuma parte da armadura mencionada em Efésios 6 é uma armadura natural feita por mãos humanas. Toda ela é uma armadura espiritual fornecida por Deus.

A armadura é composta do seguinte:

Primeiro, recebemos o cinturão da verdade, que é a Palavra de Deus. Somos instruídos a apertar o nosso cinturão durante a batalha. Em outras palavras, nos apegarmos à Palavra mais do que nunca em tempos de testes ou de guerra.

Em segundo lugar, recebemos a couraça da justiça. Quando o nosso coração está coberto com o conhecimento de que fomos feitos justiça diante de Deus, Satanás não pode nos condenar e fazer com que nos sintamos desvalorizados e inseguros. A couraça protege o nosso coração.

Em terceiro lugar, recebemos os sapatos da paz. Isso significa simplesmente que devemos andar em paz e permanecer em paz, independentemente de que tipo de batalha estejamos enfrentando. Satanás arma ciladas contra nós para fazer com que fiquemos angustiados, mas se nos recusarmos a nos sentirmos angustiados, então o plano dele é frustrado e não tem poder.

Em quarto lugar, Deus nos deu o escudo da fé e devemos erguê-lo bem alto. Isso significa que devemos liberar a nossa fé em todas as situações desafiadoras. Uma boa maneira de fazer isso é dizendo: "Sou um filho de Deus e a minha confiança está Nele". Também gosto de dizer: "Creio que Deus está trabalhando agora mesmo nesta situação". A Bíblia diz que com o escudo da fé podemos apagar todos os dardos inflamados do maligno.

Em quinto lugar, recebemos o capacete da salvação, e para mim isso significa que eu preciso pensar como alguém que foi salvo e liberto do pecado e dos seus efeitos. Durante a batalha, devemos lembrar e dizer que somos filhos amados de Deus, que somos perdoados e que Deus tem um bom plano para as nossas vidas.

E por último, mas igualmente importante, recebemos a espada que é empunhada pelo Espírito, que é a Palavra de Deus. Também nos é dito para cobrirmos tudo com oração. A oração em nome de Jesus que está cheia da Palavra de Deus sela toda vitória e a garante. Se quisermos vencer as nossas batalhas, precisamos usar essa armadura e usar as nossas armas. Somos soldados do exército de Deus, e não devemos ser preguiçosos e passivos. Devemos estar alertas, ativos e vigilantes em todo o tempo.

Outra coisa pela qual oro regularmente é por discernimento. Esse é um dos dons do Espírito de Deus que nos ajudará a reconhecer quando os espíritos malignos estão em operação e a não sermos enganados por eles. O discernimento espiritual nos permite conhecer as coisas pelo espírito. Felizmente, não temos de depender apenas da nossa mente para ter entendimento daquilo que nos cerca.

Você se lembra de Margaret, a mulher que se irou ao falar com seu marido sobre tocar o piano? Há mais um detalhe na história dela. Dois anos depois da morte de Richard, ela estava almoçando com uma pessoa conhecida. Essa mulher mencionou que sua irmã ouvia pessoas mortas falarem. Na verdade, uma vez ela teve de deixar um emprego porque seu escritório ficava no porão de um hospital próximo ao necrotério, e ela não conseguia suportar o clamor de todas aquelas vozes! Margaret é uma cristã madura e não acreditava em falar com os mortos. Ela mudou de assunto e não pensou mais naquilo até que seu telefone tocou mais tarde naquela noite. Era sua conhecida, que havia acabado de falar com a irmã. Ela disse:

— Por acaso mencionei que seu marido morreu há alguns anos. Então, de repente, perguntei-lhe se ela havia ouvido falar de alguém chamado Richard. Minha irmã disse que havia ouvido falar muito de Richard ultimamente, mas que não sabia quem ele era.

Ela continuou dizendo a Margaret que Richard estava tentando desesperadamente entrar em contato com ela. Então ela disse a Margaret várias coisas que não podiam ter vindo de ninguém a não ser de Richard. Na verdade, uma das coisas que ela disse foi que Richard queria saber por que Margaret não tocava mais o piano.

Margaret ficou extremamente abalada. A princípio, ela se perguntou se Deus estava permitindo que ela soubesse de coisas que precisava saber para prosseguir com a sua vida. Ela sabe que a Bíblia diz para ficarmos longe dos médiuns, feiticeiros, adivinhos e daqueles que têm espíritos familiares (ver Levítico 20:6; Isaías 8:19), e ela ficou muito perturbada. A primeira coisa que ela fez foi orar pedindo discernimento. Ela estava no meio de uma batalha espiritual. Satanás estava tentando enganá-la!

Ela abriu a Bíblia e orou pedindo por cada peça da armadura: o cinturão da verdade, a couraça da justiça, os sapatos da paz, o escudo da fé, o capacete da salvação e a espada do Espírito. Quase que imediatamente, Margaret percebeu que estava definitivamente ouvindo alguém — não Deus, mas Satanás. No instante em que percebeu isso, sua paz foi restaurada e sua consciência das habilidades de Satanás foi ampliada. Margaret venceu essa batalha com a ajuda de Deus. E ela começou a tocar o piano outra vez.

Você Não Pode Derrotar Golias com a Boca Fechada

Na Palavra de Deus, aprendemos a respeito de um gigante imenso que se levantou contra o exército de Israel, e nenhum dos soldados do rei Saul teve a coragem de se levantar contra ele. Havia um jovem garoto corajoso que acreditava que com a ajuda de Deus ele poderia derrotar o gigante. Davi era um menino que pastoreava ovelhas e escrevia e cantava cânticos de louvor e adoração a Deus. Deus tinha Seus olhos sobre Davi e, na verdade, o havia ungido para ser o futuro rei. A história da batalha de Davi com Golias pode ser encontrada em 1 Samuel 17:32-48, mas vou contá-la a você com as minhas próprias palavras.

Davi deu um passo à frente e disse que ninguém devia temer o gigante porque ele estava disposto a combatê-lo. Lembre-se de que Davi não era um soldado treinado e não tinha conhecimento dos armamentos daquela época. O rei Saul rapidamente disse a Davi que ele não podia lutar contra Golias porque ele era apenas um adolescente e o gigante era um guerreiro havia muitos anos.

Davi não se sentiu desencorajado pelas palavras desanimadoras do rei. Você consegue ouvir palavras desanimadoras dos outros e, no entanto, não se sentir desencorajado por elas? Isso é algo que teremos de aprender se quisermos vencer as nossas batalhas.

Davi imediatamente começou a recordar e a trazer à memória outras vitórias impressionantes que ele havia tido. Ele disse que enquanto pastoreava as ovelhas de seu pai, sempre que vinha um leão ou um urso e roubava uma ovelha do rebanho, ele os matava e livrava a ovelha. Ele na verdade disse ter agarrado o leão pela juba e o matado com as próprias mãos. Ele continuou dizendo que com o gigante seria exatamente como havia sido com o leão e o urso e que ele podia derrotar Golias. Davi não estava feliz porque estavam permitindo que o gigante desafiasse os exércitos do Deus vivo.

Saul finalmente concordou em deixar Davi tentar, mas disse ao menino para usar a armadura dele. Davi tentou usá-la, mas não conseguiu porque não estava acostumado com ela. Davi tinha métodos mais simples. Ele confiava em Deus e usou uma funda! Sua verdadeira arma era sua fé em Deus e saber como usar as palavras com sabedoria.

Quando o gigante se aproximou de Davi, começou a zombar e a escarnecer dele, mas em vez de se encolher de medo, Davi respondeu a Golias. Ele disse:

> Você vem contra mim com espada, lança e escudo; mas eu vou contra você em nome do Senhor dos exércitos, o Deus das fileiras de Israel, a quem você afrontou.
>
> Hoje mesmo o Senhor o entregará nas minhas mãos, e eu o ferirei e cortarei a sua cabeça. E eu darei os corpos do exército dos filisteus neste dia às aves do céu e às feras selvagens da terra, para que toda a terra sabia que há um Deus em Israel.
>
> E toda esta multidão saberá que o Senhor salva, não com espada e lança, porque a batalha é do Senhor, e Ele os entregará nas nossas mãos.
>
> — 1 Samuel 17:45-47

Uau! Esse tipo de discurso me deixa empolgada. Oro para que você e eu falemos assim da próxima vez que enfrentarmos um inimigo.

Golias avançou em direção a Davi, e então Davi correu para a linha de batalha e derrotou Golias assim como havia declarado que faria. Davi não confiava em suas próprias habilidades, mas era dependente de Deus. Ele não estava sequer tentando construir uma boa reputação para si mesmo, estava lutando pela reputação de Deus. Ele queria que todos soubessem que havia um Deus em Israel. Será que estamos prontos para batalhar pela reputação de Deus na Terra hoje? Vamos continuar simplesmente reclamando quando tivermos uma batalha para lutar ou vamos nos levantar como homens e mulheres de Deus e declarar que a vitória pertence a Deus?

Não tente derrotar Golias com a sua boca fechada. Fale, assim como Davi fez. Mantenha a sua boca cheia da Palavra de Deus, empunhe a espada do Espírito com sabedoria e você será um campeão de Deus como Davi foi.

A Batalha Pertence ao Senhor

Davi não foi o único a dizer que a batalha pertencia ao Senhor. Jaziel, que profetizou aos israelitas no seu tempo de batalha, disse a mesma coisa.

Muitos exércitos estavam se levantando contra Josafá e o seu exército, e eles estavam com medo. A vitória que Deus lhes deu e a maneira como tudo aconteceu são muito impressionantes. O relato encontra-se em 2 Crônicas 20:1-22. Vou contar a história brevemente, mas sugiro que você mesmo a leia.

Quando Josafá sentiu medo, também se sentiu determinado a buscar a Deus como uma necessidade vital. Ele proclamou um jejum em toda Judá e reuniu o povo para buscar ao Senhor. No instante em que sentimos medo, devemos seguir o exemplo de Josafá e buscar a Deus. Não corra para o telefone para ligar para um amigo pedindo conselhos; corra para o trono de Deus e pergunte a Ele o que fazer antes de realizar qualquer outra coisa.

Vemos nesta história que Josafá buscou a Deus usando as palavras certas. A primeira coisa que ele fez foi declarar o quanto Deus é grande, que Ele governa sobre todos os reinos e que ninguém podia resistir a Ele. Josafá estava louvando a Deus e declarando Sua grandeza.

A próxima coisa que ele fez foi lembrar a Deus como Ele os havia livrado no passado, e que sabia que Ele estava ouvindo-os agora. Ele lembrou a Deus que eles haviam construído um santuário para o Seu nome. Josafá não mencionou que havia inimigos se levantando contra eles, que precisavam de ajuda nem fez pedido algum antes de louvar ao Senhor. Você coloca o louvor em primeiro lugar, antes da sua petição? Creio que todos nós nos esquecemos da importância de fazer isso às vezes. Ficamos tão preocupados com a nossa necessidade que nos esquecemos do poder do louvor. Judá representava o louvor na Bíblia e Deus sempre enviava a tribo de Judá na frente da batalha. Precisamos dar louvor primeiro se quisermos vencer as nossas batalhas.

Depois que Josafá falou a Deus sobre a necessidade deles, fez uma declaração muito importante:

> Ah, nosso Deus, não exercerás julgamento contra eles? Porque não temos força para resistir a esta grande multidão que está vindo contra nós. Não sabemos o que fazer, mas os nossos olhos estão em Ti.
> — 2 Crônicas 20:12

Essa confissão de total dependência de Deus foi muito importante. Deus quer que dependamos Dele.

Enquanto esperavam em Deus, o Senhor falou por meio de Jaziel, dizendo: "Não temam nem desanimem diante desta grande multidão; porque a batalha não é sua, mas de Deus". Ele disse-lhes para saírem no dia seguinte e tomarem suas posições, mas que eles não precisariam lutar na batalha.

A posição tomada por eles foi uma posição de louvor e adoração. Josafá se prostrou para adorar, os outros se levantaram para louvar a Deus em alta voz e foram designados cantores para cantar com suas vestes sacerdotais santas. Este foi o cântico que eles cantaram (versículo 21): "Dai graças ao SENHOR, porque a Sua misericórdia e a Sua bondade duram para sempre!"

Imagino que eles tenham cantado isso repetidas vezes. Você consegue visualizar a imagem? O rei está adorando, os soldados estão louvando, os cantores estão cantando, e a próxima coisa que aconteceu é realmente impressionante.

> E quando eles começaram a cantar e a louvar, o SENHOR colocou emboscadas contra os homens de Amom, de Moabe e do Monte Seir que haviam ido contra Judá, e eles foram mortos [mataram uns aos outros].
> — 2 Crônicas 20:22

Isso mesmo! Os inimigos ficaram tão confusos que mataram uns aos outros, e assim como Deus havia dito, Judá nem sequer teve de lutar nessa batalha.

Essa história me impacta e me ensina uma lição maravilhosa. Sempre comece suas batalhas louvando e adorando. Use as suas armas espirituais e nunca se esqueça de quem é o verdadeiro inimigo.

Lembre-se sempre destas duas coisas: não lutamos contra a carne e o sangue, mas contra principados e potestades (ver Efésios 6:12). E as armas da nossa guerra não são carnais (armas naturais) (ver 2 Coríntios 10:4). Sua boca cheia da Palavra de Deus é uma arma que Satanás não é capaz de derrotar.

CAPÍTULO
8

Quão Feliz Você Deseja Ser?

A mãe de Jerry L. Haynes estava morrendo de leucemia. Em dois anos, ela havia deixado de ser uma forte matriarca para se transformar em uma inválida indefesa. Perto do fim, ela estava deitada no hospital em estado semi-inconsciente. Às portas da morte, não podia mais falar através de seus lábios secos e inchados. Sua família dormia no quarto do hospital, esperando a morte.

Quando Jerry acordou na manhã seguinte, bem cedo, o sol atravessou a janela.

Sua mãe se virou de lado e olhou para o brilho do sol que havia acabado de nascer. Então, enquanto o sol refletia cintilante em seus olhos, ela passou a língua nos lábios secos e disse: "Puxa, hoje vai fazer um dia lindo". As circunstâncias que a cercavam não lhe davam qualquer motivo para se alegrar, mas ela decidiu se alegrar mesmo assim!

Podemos nos tornar mais alegres quando tudo ao nosso redor está desmoronando? A Palavra de Deus diz claramente que podemos, sejam quais forem as nossas circunstâncias. E sendo alguém que tem colocado em prática os princípios da Palavra de Deus por muitos anos, concordo de todo o coração que podemos nos tornar mais alegres se desejarmos. Não somos meramente vítimas das circunstâncias, soprados de um lado para o outro pelas tempestades da vida sem escolha com relação à maneira como reagiremos.

Pois aquele que quiser apreciar a vida e ver dias bons [bons, quer pareçam ou não] mantenha a sua língua livre do mal e os seus lábios livres do engano (traição, fraude).

— 1 Pedro 3:10

De acordo com esse versículo, podemos desfrutar a vida independentemente de quais possam ser as circunstâncias, desde que saibamos o que fazer com a nossa língua (palavras e conversa) e o que não fazer com ela. As palavras que escolhemos dizer exercem um impacto tremendo sobre o nosso nível de alegria. Palavras felizes podem nos tornar mais alegres. Encha seu vocabulário com palavras como *fantástico, lindo, incrível, agradecido, obrigado, maravilhoso, celebrar, entusiasmado, intenso, tremendo, grande, imenso, notável, esperança, fé e amor*. A famosa líder de louvor e minha amiga Darlene Zschech usa a palavra *lindo* o tempo todo em seu cotidiano. Eu ficava feliz todas as vezes que a ouvia, então comecei a dizer essa palavra também. Meus amigos Chris e Nick Caine do Ministério *Equip and Empower* (Preparação e Revestimento de Poder) dizem às pessoas frequentemente enquanto estamos realizando alguma tarefa juntos: "Você é incrível, parceiro". (Eles são australianos.) Ao passar um dia com eles, podemos ouvir essa frase pelos menos umas vinte vezes. Percebi que isso coloca sorrisos nos rostos das pessoas, então também coloquei essas palavras no meu vocabulário. Observe quais são as palavras que o deixam feliz quando as pessoas as dizem a você e comece a dizer essas palavras aos outros. Introduza palavras alegres e felizes nas conversas em vez de falar excessivamente sobre problemas e de usar palavras feias como *ódio, ira, amargo, desistir, meu problema, cansado, esgotado, infeliz, desanimado, deprimido* e *desprezível*.

A primeira coisa que a maioria de nós quer fazer quando tem algum problema é falar sobre ele incessantemente! Sinto que preciso resistir com determinação à tentação de falar sobre os meus problemas, e talvez você tenha essa mesma experiência.

Com certeza podemos e devemos falar com alguém, mas a melhor pessoa com quem podemos falar é Deus e depois, talvez, alguém com quem Ele nos leve a falar após tê-lo consultado primeiro. Às vezes falar sobre seus problemas pode ser muito saudável. Se meramente enfiarmos tudo o que nos fere e nos perturba dentro da nossa alma e nos recusarmos a lidar com a nossa dor e decepção, isso pode ser devastador. Precisamos aliviar nossa dor de alguma maneira, ou, como algumas pessoas dizem, "Há momentos na vida em que precisamos descarregar". Costumo encontrar respostas para os meus problemas enquanto verbalizo a situação, e isso é bom, mas ainda preciso tomar muito cuidado com relação a com quem falo e como falo sobre as coisas que me perturbam.

Simplesmente falar por falar com alguém que irá ouvir não é apenas inútil, como também é tolice, e isso suga nossa força e rouba nossa alegria.

Com Quem Devemos Falar?

Antes de qualquer coisa, devemos orar sobre tudo. Quando oramos, não estamos apenas pedindo a Deus para nos ajudar, estamos pedindo a Ele para nos aconselhar sobre qualquer atitude que precisemos tomar.

> Não se aflijam nem fiquem ansiosos por nada, mas em todas as circunstâncias e em tudo, por meio da oração e da petição (pedidos específicos), com ações de graças, continuem a fazer os seus pedidos conhecidos a Deus.
>
> — Filipenses 4:6

Encorajo você a adquirir o hábito de buscar a Deus em oração no instante em que alguma coisa o perturbar. Uma das melhores maneiras de continuar na presença de Deus ao longo do dia é nos acostumarmos a ter uma conversa contínua com Ele. Quando fazemos isso, estamos orando, porque a oração é simplesmente falar com Deus e ouvir em nosso coração a Sua resposta. Ele pode trazer uma passagem da Bíblia à nossa mente que nos dê consolo ou direção. Pode ser uma ideia, ou uma "certeza" forte de que devemos tomar esta ou aquela direção. O importante é honrarmos a Deus buscando-o em primeiro lugar. Deus não nos dá sempre uma direção imediatamente após orarmos, mas minha experiência tem me mostrado que Ele realmente dirige os nossos passos.

Uma situação recente que vivi estava me incomodando porque era crucial que eu lidasse com ela da maneira adequada. Eu não podia simplesmente fazer o que sentia vontade de fazer; tinha de ter certeza de que estava tomando a decisão correta porque aquilo envolvia as vidas de outras pessoas e eu não queria que ninguém se magoasse nem queria tratar ninguém injustamente. Depois de orar por alguns dias, senti de forma muito forte que deveria conversar com um pastor que conheço e respeito e pedir o conselho dele sobre o que eu pretendia fazer. Era uma situação que havia me abalado emocionalmente, e sei que decisões baseadas em emoções são muito perigosas, de modo que senti a necessidade de falar com alguém que não estivesse envolvido diretamente e pudesse me dar um conselho da parte de Deus sem filtrá-lo pelas suas emoções.

> Os lábios do sábio difundem conhecimento [peneirando-o como quem separa o joio do grão].
>
> — Provérbios 15:7

A pessoa sábia pode olhar para todos os lados, considerar todas as informações e compartilhar seu conhecimento da maneira adequada.

Não receber nenhum conselho é melhor do que receber um mau conselho, de modo que a primeira diretriz sobre falar com outros sobre os nossos problemas é que devemos nos certificar de que seja alguém a quem respeitamos e a quem estejamos dispostos a realmente ouvir. Do contrário, estamos falando apenas por falar e, na verdade, não queremos conselho algum. Fale com alguém que é conhecido por ser sábio, que conheça amplamente a Palavra de Deus, que seja forte na fé e que guarde os seus segredos. Quero dizer novamente que se falarmos com alguém e não tivermos a intenção de considerar seriamente o conselho dessa pessoa, então estamos falando só por falar e é aí que nossas palavras são desperdiçadas, e talvez estejamos abrindo uma porta para o diabo causar ainda mais problemas do que os que já temos.

A Palavra de Deus nos ensina claramente a não procurarmos ou seguirmos o conselho dos ímpios (ver Salmos 1:1). O conselho deve vir dos verdadeiros amigos que não apenas concordem conosco, mas que discordem se souberem que estamos errados. Enquanto tomava todas as decisões que precisavam ser tomadas naquela situação, disse a meu marido e a dois outros homens de Deus a quem respeito que me falassem se sentissem a qualquer momento que eu estava agindo com base nas minhas emoções e não estava tomando boas decisões ou se percebessem que eu estava sendo injusta em meus julgamentos.

Além disso, devemos conversar apenas com pessoas em quem podemos confiar e que não falarão com outras pessoas sobre o que lhes dissemos. Só pessoas de caráter maduro podem ser confiáveis para guardar nossos segredos. A tentação de "falar" é tão forte que somente aqueles que possuem um alto nível de disciplina em suas próprias vidas são pessoas com quem podemos conversar com segurança, principalmente se o que precisamos falar é confidencial.

A Palavra de Deus nos ensina a não nos associarmos com ninguém que fala demais, ou que seja um contador de histórias, ou que revela os segredos dos outros (ver Provérbios 20:19). Lembre-se de que se eles lhe contam os segredos de outros, eles contarão aos outros os seus segredos. Seja muito sábio em relação a com quem você fala. Você já foi profundamente magoado porque confiou em alguém e depois descobriu que essa pessoa havia revelado seus segredos a outras pessoas? Acho que todos nós já passamos por essa experiência triste e precisamos aprender com os nossos erros. Precisamos aprender a escolher as nossas palavras com sabedoria, a escolher cuidadosamente com quem falamos, garantindo assim que tratemos os outros da maneira como queremos ser tratados. Nunca diga a ninguém os segredos dos outros se você quer que os seus sejam mantidos em sigilo.

Podemos proteger a nossa alegria e felicidade usando as precauções que mencionei até agora. Sacrifiquei a minha alegria em inúmeras ocasiões simplesmente falando com as pessoas erradas. Há segurança na multidão de conselheiros segundo a Palavra de Deus, mas eles precisam ser bons conselheiros; do contrário, isso é perigoso.

Aprendendo a Ouvir de Deus

Quanto mais crescemos na Palavra de Deus e quanto mais experiência temos em Seus caminhos, menos precisamos ir a outras pessoas em busca de conselhos. Aprendemos a ouvir de Deus por nós mesmos e a ser guiados pelo Espírito Santo. O Irmão Lawrence, um monge que viveu no século XVII e desenvolveu o hábito santo de estar sempre na presença de Deus, disse que ele *não tinha ocasião de consultar ninguém sobre o seu estado. Que quando tentava fazê-lo, sempre saía mais confuso.* Ele desfrutava de um relacionamento íntimo com Deus, conhecia a Palavra de Deus e Seus caminhos, e ele por fim só conseguia consultar a Deus quando estava com problemas.

Não é errado pedir conselhos da pessoa certa ou das pessoas certas, mas também podemos desenvolver um relacionamento íntimo com Deus que nos ajudará na maioria das situações a discernir espiritualmente qual deve ser o nosso curso de ação. O Irmão Lawrence disse que ele havia aprendido que a maioria dos conselhos humanos o deixava ainda mais confuso, e creio que todos podemos dizer que muitas vezes sentimos o mesmo. Algumas pessoas amam dar a sua opinião, mas a opinião delas na verdade não vale a pena ser ouvida.

Deus mostrou a Davi como matar Golias. O método dele de usar uma funda e pedras lisas pareceu ridículo para o rei Saul e para os soldados que estavam por perto. Saul deu a Davi a sua armadura, mas ele não se adaptou a ela. Ele tinha de ter a direção de Deus para vencer essa batalha. Nós provavelmente venceríamos mais batalhas, muito mais depressa, se aprendêssemos a ouvir a Deus e a não sermos tão rápidos em correr para as pessoas. Mas enquanto aprendemos a fazer isso, continuemos também a aprender a sermos sábios em relação a com quem falamos e como falamos nas ocasiões em que precisamos.

Como Devemos Falar com as Pessoas Com Quem Conversamos?

A partir do momento em que decidirmos com a ajuda de Deus com quem podemos falar, como devemos conversar com essas pessoas? Como falar sobre um problema sem torná-lo pior?

> O homem se alegra em dar uma resposta apropriada, e a palavra dita a seu tempo — quão boa ela é!
>
> — Provérbios 15:23

As palavras certas ditas na hora certa à pessoa certa podem ser uma grande bênção, mas também precisamos aprender a arte de falar sobre uma situação negativa de uma maneira positiva. Sinto que quando falo apenas por falar, geralmente me expresso com base nas minhas emoções e a maior parte do que digo é inútil. Posso estar dando informações às outras pessoas, mas não estou ajudando a mim mesma, e muitas vezes, sinto-me pior depois de falar do que antes.

Satanás com certeza nunca para de nos tentar a usarmos nossas palavras para fazer mal a nós mesmos e às outras pessoas, mas se aprendermos a escolher nossas palavras com sabedoria, poderemos nos beneficiar e ser abençoados pelas palavras certas ditas na hora certa.

Sempre que falarmos com outra pessoa sobre os nossos problemas, devemos fazê-lo em busca de uma resposta ou de algum conselho sábio que possa nos confortar. Quero dizer novamente que quando simplesmente falamos por falar e não temos um propósito em mente, geralmente dizemos coisas que definitivamente não precisam ser ditas. Observe que eu disse "nós", porque ainda preciso de muito crescimento nessa área. Na verdade, preciso tanto desse ensinamento que ainda que ninguém estivesse interessado neste livro, eu o escreveria apenas para mim mesma.

Você Tem Situações ou Problemas?

Um bom hábito a ser adquirido é não usar a palavra *problema*. Acredito que apenas ouvir essa palavra diminui a nossa alegria e nos dá a sensação de estarmos sobrecarregados. Jesus passava por circunstâncias adversas o tempo todo, mas sinceramente não consigo imaginá-lo dizendo: "Pedro, Tiago e João estou com um problemão e preciso conversar com vocês sobre isso. Agora tenho de morrer pelos pecados dos homens e Meu Pai prometeu Me ressuscitar dos mortos, mas e se Ele não cumprir o que prometeu?" Estou certa de que você está pensando: *isto é ridículo, Jesus nunca falaria assim*. Você está certo; Ele não faria isso. Mas nós fazemos.

Ele falava sobre Sua situação, mas nunca de uma maneira negativa. Ele disse aos Seus discípulos que estava partindo, mas que voltaria e que eles deveriam ficar felizes por Ele porque essa era a vontade de Deus. Jesus continuou dizendo que eles não se falariam mais tanto porque o maligno estava vindo e o maligno não tinha poder sobre Ele. Jesus afirmou que tinha de fazer o que o Pai lhe havia ordenado (ver João 14:28-31).

Jesus sabia quando falar, quando não falar e como falar. Ele obviamente conhecia o poder e o impacto das palavras. Jesus estava enfrentando uma situação, no mínimo, extremamente desafiadora, e creio que escolher dizer poucas palavras e garantir que as que Ele falasse fossem as certas, ajudou-o a ir até o fim no plano perfeito de Deus para Ele.

Eu me pergunto quantas vezes temos situações que se transformam em pesadelos para nós simplesmente por causa da maneira de falarmos sobre elas. Todos os nossos desafios são a oportunidade de Deus se mostrar forte. Na próxima vez que decidir falar com alguém sobre uma situação difícil pela qual está passando, tente fazer isso da maneira mais positiva possível. Você pode dizer algo do tipo: "Tenho uma situação que gostaria de discutir com você". Então, da maneira mais breve possível, dê os detalhes e diga: "Confio que Deus dará um escape porque Ele prometeu fazer isso, e eu estava me perguntando se você tem alguma palavra de consolo enquanto espero ou uma palavra de conselho que você sinta que Deus possa querer falar através de você".

No evangelho de Marcos, somos instruídos a falar às nossas montanhas e a dizer a elas para se moverem (ver 11:22-23), mas a maioria de nós fala *sobre* elas em vez de falar *a* elas. As palavras de fé movem montanhas, mas as palavras de preocupação, medo e dúvida tornarão as montanhas do desafio que enfrentamos ainda maiores.

Anime-se

Vamos voltar à pergunta original no início deste capítulo. Quão feliz você deseja ser? Creio que a resposta está no quanto estamos dispostos a nos disciplinarmos para dizer o que Jesus diria em nosso lugar.

Jesus disse aos Seus discípulos e a nós que no mundo teríamos tribulações, mas que devemos nos animar porque Ele havia vencido o mundo e o privado do seu poder para nos fazer mal. Manter-se alegre e ter bom ânimo é algo simplesmente impossível em meio a uma conversa negativa que esgota nossas forças. Qualquer pessoa que fala excessivamente sobre o que acredita ser seus problemas muito provavelmente ficará desanimada e até deprimida. Alguém assim se sentirá oprimido, e quanto mais falar sobre como se sente, mais derrotado será.

O que estou compartilhando com você não é difícil de entender. Podemos ser mais ou menos alegres dependendo da maneira como escolhemos falar. Se você não acredita em mim, faça o teste por uma semana. Assuma o compromisso de falar sobre tantas coisas boas quantas puder, e se tiver de falar sobre uma situação desafiadora, fale sobre as promessas de Deus e declare crer que Deus está trabalhando e que você está esperando uma vitória a qualquer momento. Se uma semana é tempo demais para você, então comece com um dia de cada vez ou mesmo uma hora de cada vez se necessário. Realmente acredito que você se sentirá mais feliz em sua vida escolhendo suas palavras com cuidado.

Como Você Fala Consigo Mesmo?

Você nunca será capaz de mudar o que fala se não mudar seus pensamentos, que na verdade são o que dizemos a nós mesmos. Falamos com nós mesmos mais do que falamos com qualquer outra pessoa. Pensamos durante a maior parte do tempo, e esses pensamentos particulares são conversas que temos com nós mesmos. A maneira de falarmos com nós mesmos determina quão felizes somos tão certamente quanto as nossas palavras o fazem. Reserve alguns minutos agora e faça uma lista do que você pensou até agora durante o dia de hoje. O que dizemos a nós mesmos afeta não apenas o quanto nos sentimos alegres, mas também a nossa paz e até a nossa energia física.

Como disse anteriormente, recentemente estive resolvendo uma "situação" pessoal. Fui à academia para me exercitar ontem e fiquei surpresa ao ver o quanto estava cansada. Comecei a me perguntar por que estava me sentindo tão cansada e rapidamente percebi que as emoções que havia gastado com a minha "situação" haviam sugado a minha energia. E se você está se perguntando, devo admitir que falei demais sobre ela. Na verdade, isso foi um lembrete para mim do quanto as palavras são poderosas e oro para que Deus nunca deixe de me lembrar isso, porque essa parece ser uma lição que a maioria de nós precisa continuar reaprendendo.

Por acaso vi uma amiga minha que está passando por uma "situação" com um de seus filhos, e ela mencionou o quanto havia sido difícil se exercitar naquela manhã. Sei com certeza que ela também andou falando muito e dizendo coisas erradas. As leis do espírito funcionam do mesmo modo para todos, e a lei espiritual de Deus diz: "Se você quiser desfrutar a vida e ver dias bons [bons, quer pareçam bons ou não] guarde a sua língua do mal e os seus lábios da fraude (traição, engano)" (1 Pedro 3:10).

Nunca mudaremos sem a ajuda de Deus. Lembre-se de que ninguém pode domar a língua, mas não podemos de modo algum desistir e ceder à tentação enviada por Satanás nessa área. Continue pedindo a ajuda de

Deus para domar a sua língua, e você continuará progredindo. Satanás quer roubar nossa alegria para poder roubar a nossa força (ver Neemias 8:10). Por que é tão difícil não pecar com a nossa boca? É difícil simplesmente porque Satanás conhece o poder das palavras certas e ele nos tenta nessa área incansavelmente. Não se esqueça de que nos alimentamos das palavras que dizemos, portanto vamos ser sábios o suficiente para ao menos não continuarmos comendo veneno e acreditando que isso não nos fará mal.

CAPÍTULO
9

Palavras que Entristecem o Espírito Santo

$E_{ntristecer}$ alguém significa "afligir, ofender ou fazer a pessoa sofrer". A tristeza é uma emoção muito dolorosa. Entristecer o Espírito Santo de Deus é algo que devemos nos esforçar para evitar em todo o tempo. Antes de qualquer coisa, devemos evitá-lo porque Ele é Deus manifesto na Terceira Pessoa da Trindade Santa. Seu ministério para nós é lindo e extremamente necessário, e devemos honrá-lo e honrar Sua obra em nossas vidas em todo o tempo. Em segundo lugar, o Espírito Santo habita em nós como filhos de Deus, e se Ele se sente entristecido, então nós sentiremos esse pesar também. Uma grande parte da tristeza sentida pelos cristãos está diretamente relacionada com o fato de terem entristecido o Espírito Santo e depois ficarem se perguntando por que perderam a alegria.

Algumas das palavras dos meus filhos me abençoam e fazem com que me sinta orgulhosa deles, ao passo que outras às vezes me entristeceram, principalmente quando eles estavam passando por aquela fase de egoísmo da adolescência. Palavras de reconhecimento, por exemplo, colocam um sorriso no meu rosto e são uma bênção para mim. Palavras de reclamação e murmuração me deixam triste. Como a maioria dos pais, faço tudo que posso para ajudar meus filhos e fazer com que se sintam mais felizes de todas as maneiras possíveis. Faço isso sem nenhum motivo a não ser amá-los, suprir suas necessidades e tornar a vida deles melhor. Quero que eles mantenham uma atitude de reconhecimento, e é importante para mim que eles não reclamem nas raras ocasiões em que não posso ou sinto que não devo fazer o que eles pedem. Para mim, não é difícil entender isso. Deus, o nosso Pai, sente o mesmo.

Aprendemos com a Bíblia que uma atitude de gratidão não é apenas importante, mas também poderosa. Murmurar, resmungar e reclamar são atitudes perigosas. São tão perigosas que um capítulo inteiro deste livro será dedicado a elas mais tarde.

Vamos dar uma séria olhada no que a Bíblia diz que entristece o Espírito Santo:

> Que nenhuma linguagem suja ou poluente, nenhuma palavra maligna nem prejudicial ou conversa inútil [jamais] saia da sua boca, mas somente aquela [fala] que seja boa e benéfica para o progresso espiritual de outros, como adequado à necessidade e à ocasião, para que possa ser uma bênção e transmitir graça (favor de Deus) aos que ouvem.
> E não entristeçam o Espírito Santo de Deus [não o ofendam, nem o aflijam, nem o façam sofrer].
>
> — Efésios 4:29-30

Esses versículos nos ensinam claramente que algumas palavras entristecem o Espírito Santo e deveriam ser evitadas. Vamos ver novamente a lista: as palavras sujas, poluentes, malignas, prejudiciais e inúteis entristecem o Espírito Santo! Eis algumas outras palavras que encontrei para definir as relacionadas em Efésios 4:29 e com as quais podemos estar ainda mais familiarizados: *ofensivas aos sentidos, ranzinzas, desagradáveis, prejudiciais ou venenosas, profundamente imorais ou associadas com o diabo, que não contribuem para a saúde ou o bem-estar moral, depreciadoras ou inúteis e dignas de desprezo.*

O apóstolo Paulo dá prosseguimento à sua mensagem aos cristãos sobre o que entristece o Espírito Santo:

> Que toda amargura e indignação e ira (paixão, fúria, mau humor) e ressentimento (ira, animosidade) e discussões (gritaria, clamor, disputa) e difamação (maledicência) sejam banidas de vocês, com toda malícia (maldade, má intenção ou baixeza de qualquer espécie).
>
> — Efésios 4:31

Vemos que a ira e tudo que está relacionado a ela, bem como as palavras que vêm dela, também entristecem o Espírito Santo e devem ser banidas de nós. Se alguém fosse banido de um país porque está vivendo nele ilegalmente, isso significa que teria de sair e não poderia voltar. Precisamos *exilar* as palavras que entristecem o Espírito Santo e não permitir que elas retornem.

Por Que o Espírito Santo Se Entristece?

Qualquer coisa que façamos que não seja a vontade de Deus para nós entristece o Espírito Santo porque o propósito Dele em nossas vidas é nos levar à plenitude do que Jesus morreu para nos dar. Ele trabalha conosco para nos levar à plena maturidade ou à plena imagem de Jesus Cristo, que é a imagem expressa de Deus Pai. Já vimos que a nossa maturidade pode ser medida com exatidão pelas palavras que saem da nossa boca. Estou certa de que você se lembra de que o apóstolo Paulo disse aos coríntios que eles eram bebês como cristãos e por isso não podia lhes dar um ensinamento forte, e que eles ainda não sabiam falar! Eles não falavam adequadamente e, por isso e outras questões, Paulo sabia que eles eram imaturos.

Outro motivo de o Espírito Santo se entristecer com palavras ásperas e pouco atraentes é porque Ele é manso como uma pomba. As pombas brancas são pássaros muito sensíveis e voam para longe ao menor ruído se estiverem pousadas em uma árvore. Ouvi a história de um casal que tinha muitas pombas-de-bando empoleiradas nas calhas de seu prédio, e esses pássaros costumavam pousar no parapeito da janela deles. Para sua surpresa, uma pomba branca veio um dia e se acomodou onde as outras pombas costumavam pousar. O casal iniciou uma discussão, o que não era raro, mas eles perceberam que a pomba branca voou para longe imediatamente quando o tom de voz deles se tornou amargo e áspero. As pombas-de-bando nunca haviam voado para longe, mas a pomba branca o fez. Deus usou isso como uma lição para ajudá-los a entender como as discussões dele estavam entristecendo o Espírito Santo e por que eles geralmente não sentiam a Sua presença na casa deles.

O Espírito Santo, como a pomba branca, só permanecerá em uma atmosfera pacífica e amorosa. Deveríamos nos perguntar se nossas casas são adequadas para a pomba branca ou apenas para as pombas-de-bando? Quando o Espírito Santo veio sobre Jesus no Seu batismo, a Bíblia diz que Ele veio sobre Jesus e permaneceu ali. O Espírito Santo veio sobre você ou sobre sua casa em algum momento, mas não pôde permanecer por causa das palavras de ira, amargura e das palavras ásperas que voavam pela atmosfera na maior parte do tempo? Houve muitos anos em minha vida em que isso acontecia, mas, felizmente, ao longo dos anos, aprendi os perigos da contenda (brigas, discussões, desentendimentos acalorados e uma disposição interior à ira) e o poder da unidade.

Deus quer que sejamos um como Ele, assim como Jesus e o Espírito Santo são Um. Jesus orou para que fôssemos um, assim como Eles são. O Espírito Santo trabalha incansavelmente em todos nós, esperando nos ensinar o poder da unidade e da concordância, e os perigos de sermos rápidos em nos irar e lentos para perdoar.

Uma atitude de falta de perdão permite que Satanás ganhe terreno nas vidas dos crentes mais do que qualquer outra coisa. Nosso mundo de hoje está cheio de pessoas dominadas pela ira, mas não podemos ser uma delas. Jesus é o Príncipe da Paz, e Ele quer que vivamos em uma atmosfera pacífica e que mantenhamos essa atmosfera. A ira é quase sempre manifesta através de palavras amargas e ásperas, palavras de ódio e ressentimento. Essas são palavras que entristecem o Espírito Santo de Deus. Quando nos sentimos tristes, devemos perguntar a Deus se entristecemos o Seu Espírito, e se for esse o caso, precisamos nos arrepender e pedir a Deus para nos ensinar de novo o poder das palavras.

Palavras cheias de ira nos causam problemas, de modo que é sábio aprender a controlar a nossa ira.

> Entendam [isto], meus amados irmãos. Que todo homem seja rápido em ouvir [ou ouvinte pronto], lento para falar, lento para se ofender e para se irar.
> — Tiago 1:19

Se não controlarmos nossa ira, não poderemos controlar nossas línguas também. A ira sai de nós em palavras que descrevem como nos sentimos e o que pensamos da pessoa com quem estamos irados. De acordo com Efésios 4:31, quando a ira tem permissão para seguir o seu curso, ela se transforma em amargura, fúria, mau humor, ressentimento, discussões, difamações e maledicências. Parece bem ruim quando analisamos essas coisas com um pouco mais de cuidado e, na verdade, é mesmo. Deus nos criou para a bênção, a paz, a alegria, a justiça e o amor. Ele quer que sejamos um vaso através do qual Ele possa trabalhar, e isso exigirá que lidemos com a ira e que domemos a nossa língua.

> Fale quando estiver irado e você fará o discurso que mais poderá lamentar.
> — Laurence J. Peter

Já fui uma mulher muito irada, e é claro, minha boca era usada pelo diabo para ferir pessoas e entristecer o Espírito Santo. À medida que aprendi a Palavra de Deus e comecei a querer agradá-lo com as minhas atitudes, percebi que o meu problema com a ira tinha de ser tratado. Embora uma parte da minha ira provavelmente fosse justificada, creio que a maior parte dos meus problemas com a ira era simplesmente uma questão de maus hábitos. Eu via meu pai controlar as pessoas através da ira, e eu também a usava como um método para conseguir o que eu queria quando as outras pessoas não concordavam comigo. Tive de encarar a verdade de que sempre que algo não acontecia como eu queria ou e de acordo com o meu plano, eu ficava irada.

Aprendendo a se Adaptar e a se Ajustar

Se não aprendermos a nos adaptar e a nos ajustar às pessoas e às situações, não suportaremos as pressões da vida. Fazer isso requer humildade, confiança em Deus e um forte compromisso de ser um gerador e um mantenedor da paz.

> Vivam em harmonia uns com os outros; não sejam soberbos (esnobes, arrogantes, orgulhosos), mas ajustem-se prontamente [às pessoas e coisas] e dediquem-se a tarefas humildes. Nunca se superestimem nem sejam sábios no seu próprio conceito.
> — Romanos 12:16

Esse versículo me incomodou e me convenceu até que por fim cheguei a um ponto na minha maturidade espiritual em que estava disposta a fazer o que ele diz. Você tem algum versículo assim? Esse é um deles? Você está disposto a se humilhar e se ajustar às pessoas e situações a fim de viver em harmonia? Ou você só pode ser pacífico e agradável quando as coisas acontecem do seu jeito? Sei que essas são perguntas muito diretas, mas acredito que são elas que o Espírito Santo quer que respondamos sinceramente.

Só a verdade nos libertará, mas, como costumo dizer, "não é a verdade sobre alguém que nos libertará, é a verdade sobre mim que me libertará". Deus quer que examinemos nossas vidas à luz da Sua Palavra, e como a Palavra não vai mudar, precisamos estar dispostos a encarar a mudança. Se não o fizermos, nunca seremos verdadeiramente felizes, e como eu já disse, não suportaremos a pressão do que a vida reserva para nós se não aprendermos a nos adaptar.

O homem mais velho que já existiu morreu enquanto eu estava escrevendo este livro. Ele tinha cento e catorze anos de idade, e uma das dicas que ele deu para a longevidade foi esta: "Aceitem a mudança, mesmo quando ela esbofetear o seu rosto". Não desejamos todas as mudanças na vida que atravessam nosso caminho, mas precisamos simplesmente aceitar muitas delas porque não as aceitar não fará com que desapareçam. Até conseguir aceitar totalmente o fato de que meu pai abusou sexualmente de mim e que não havia nada que eu pudesse fazer a respeito agora, eu era frágil e meu espírito estava em pedaços. Quando o perdoei e pedi a Deus para pegar essa tragédia e fazer dela algo bom, não apenas comecei a ser curada emocional, mental e espiritualmente, como vi Deus fazer coisas impressionantes com o que Satanás havia planejado para minha destruição.

Eu não escolheria o abuso como parte do meu plano de vida, mas foi o que recebi, e quando aceitei isso, Deus começou a usar essa situação para o meu bem e para o bem de outros que também haviam sido feridos. Jesus não gostava da ideia de morrer na Cruz, mas quando Ele soube que era isso que tinha de fazer, aceitou a situação e confiou em Seu Pai celestial. Ele não estava na Cruz lutando para se soltar. Porque Jesus a aceitou, nossos pecados estão perdoados e temos um relacionamento íntimo com Ele. Não permita que as decepções sofridas por você se tornem um lugar para tropeçar e nunca mais se recuperar. Aceite-as e deixe que elas o aproximem de Deus. Permita que elas o tornem melhor, e não mais amargo!

Você Pode Realmente Mudar Esta Situação?

Quando você passar por uma situação que não fazia parte do seu plano ou que não desejou para a sua vida, pergunte a si mesmo se você pode mudá-la. Se não puder, então aceite-a, lide com ela e siga em frente. Durante os muitos anos em que meu pai abusou de mim, eu costumava olhar para uma pequena placa que estava pendurada na cozinha de minha avó. Ela dizia: "Senhor, concedei-me serenidade para aceitar as coisas que não posso modificar, coragem para modificar as coisas que posso e sabedoria para distinguir uma das outras". Extraí forças daquela pequena placa durante muitos anos enquanto esperava ter idade suficiente para sair de casa e fugir de meu pai. Creio que os dizeres daquela placa são valiosos para nós em muitas situações.

Deixe-me contar-lhe uma história sobre como aprendi a "seguir com o fluxo" da vida.

Quando meus filhos eram muito pequenos, sempre jantávamos juntos todas as noites como uma família. Eu era mãe e dona de casa naquela época, e passava horas cozinhando o jantar na maioria das noites. Gostaria de poder dizer que aqueles momentos eram momentos adoráveis em família, mas com frequência eles eram arruinados. Qual era o problema? Bem, naquela época eu lhe diria que era por causa de algum dos meus filhos, mas agora sei que era a minha ira e incapacidade de me ajustar e me adaptar a qualquer circunstância desagradável.

Parecia que cada vez que nos sentávamos para uma refeição, alguém derramava um copo de alguma coisa, e geralmente era leite. Sempre que isso acontecia, eu imediatamente ficava irritada e as palavras começavam a jorrar da minha boca: "Não acredito nisto! Veja o que você fez! Passei a tarde toda cozinhando esta refeição e tudo o que eu queria era me sentar em paz e comê-la, mas você estragou tudo!" A esta altura, a criança com quem eu estava gritando estava chorando, e isso parecia me deixar ainda mais furiosa. Finalmente entendi que não era um de meus filhos que havia estragado o jantar nem era o leite derramado, mas era eu e a minha atitude que o arruinavam!

Naquela época, fazíamos grandes refeições com muitos pratos e utensílios espalhados pela mesa. Quando o leite derramava, ele invariavelmente começava a escorrer por baixo de todos aqueles pratos e ia direto para a divisão que nos permitia aumentar o tamanho da mesa. Aliás, definitivamente eu me convenci de que o diabo projetou mesas com fendas só para me deixar louca. Agora acho que foi Deus quem as projetou (pelo menos a minha) com o propósito declarado de me ajudar a ver o quanto eu estava me comportando de maneira tola.

Um dos motivos pelos quais eu entrava em pânico quando o leite derramava era porque eu sabia que se não conseguisse limpá-lo antes que chegasse à divisão da mesa, ele escorreria pelas pernas da mesa e chegaria ao chão. Naquela época, tínhamos um tapete no chão da cozinha como muitas pessoas também tinham, e não queria leite derramado e azedado sobre ele. Sim, tínhamos um tapete no chão da cozinha! Estou certa de que hoje isso parece bizarro, mas era um tapete feito para cozinhas.

Se você já teve uma mesa de cozinha com divisão no meio, sabe que, com o tempo, as migalhas de comida acabam entrando na divisão. A não ser que você abra regularmente a mesa e a limpe, ela pode ficar nojenta. Acrescente leite a essa mistura e você não tem outra escolha senão desmontar a mesa e fazer um trabalho de limpeza mais cuidadoso.

Nas ocasiões em que eu não conseguia secar o leite antes que chegasse à divisão da mesa, ficava ainda mais furiosa. Agora imagine a cena! Estou debaixo da mesa gritando, Dave provavelmente gostaria de ter ficado no trabalho, e no meio de tudo isso, Deus fala! De repente, entendi: "Joyce, não importa o quanto você grite, este leite não vai subir pelas pernas da mesa, não vai atravessar a mesa nem vai entrar novamente no copo, então é melhor você aprender a 'seguir o fluxo'".

"Seguir o fluxo" se tornou um tema importante em minha vida. Comecei a aprender a me adaptar e me ajustar em vez de tentar obrigar que tudo e todos se ajustem a mim. Isso se tornou um dos principais temas quando comecei a ensinar a Palavra de Deus e na verdade ajudou milhares de outras pessoas a verem a importância de não tentar mudar algo que não podiam mudar.

Talvez você esteja pensando: *Joyce, gostaria que todos os meus problemas hoje se resumissem a leite derramado.* Sei que o exemplo é simples, mas o princípio é o mesmo independentemente de com que estamos lidando. Se pudermos fazer alguma coisa a respeito, vamos fazer, e se não, vamos aceitar a situação e deixar Deus mostrar Seu poder para resolver o assunto.

Hoje, quando algo decepcionante acontece, costumo dizer: "Você perdeu, diabo. Vou continuar em paz". O diabo arma ciladas para nos irritar, mas podemos aprender a reconhecer quando ele está trabalhando e a permanecer calmos no meio da tempestade. Se não permitirmos que as coisas nos deixem irados, então não diremos palavras cheias de ira que entristecem o Espírito Santo.

CAPÍTULO 10

Jejum de Palavras

Quando falamos em *jejum*, geralmente estamos falando de nos abstermos de comida por um período a fim de purificar o corpo de toxinas ou com o propósito espiritual de que as nossas orações sejam mais devotadas, mais poderosas e para nos aproximarmos mais de Deus. Mas há outras coisas das quais podemos nos abster além de comida.

Tenho muito mais problemas com o que sai da minha boca do que com o que entra nela. Sou muito disciplinada com os meus hábitos alimentares, não porque sou incrivelmente controlada, mas pela simples razão de querer que minhas roupas caibam em mim.

Também estou ciente de que se eu ganhar peso, cerca de dois terços do mundo que pode assistir ao meu programa pela televisão saberá disso! Ainda quero ter a melhor aparência possível pelo máximo de tempo que puder. Digo a Deus que é tudo para a glória Dele e oro sinceramente para que seja assim.

Deus falou por intermédio do profeta Isaías e disse a ele que embora as pessoas estivessem fazendo um jejum de alimento, elas viviam em contendas, maltratando os trabalhadores, não ajudando os pobres e necessitados, apontando o dedo e escarnecendo das outras pessoas, e se envolvendo em todas as formas de falatório falso, áspero, injusto e mau (ver Isaías 58:1-9).

O texto de Isaías 58 exerceu um efeito profundo sobre a minha vida. Fez com que eu entendesse que tinha muitas coisas que não agradavam a

Deus, e que havia muitas coisas que eu precisava "jejuar" (me abster) na minha vida.

Eu havia jejuado e aprendido a me abster de algumas refeições e descobri que não morreria de fome, mas ainda tinha coisas em minha vida que não agradavam a Deus. Eu era egoísta e egocêntrica, embora estivesse no ministério e pregando o Evangelho. Não estava fazendo nem de longe tanto pelos pobres quanto Deus queria que eu fizesse, e ainda tínhamos muitas contendas em casa por trás das portas fechadas. Havia jugos de cativeiro em minha própria vida que precisavam ser tratados, mas eu estava tendo êxito em ignorá-los tentando ajudar outras pessoas a lidar com os cativeiros delas. Você sabia que somos capazes de nos esconder de Deus por trás das boas obras? Podemos ficar tão ocupados indo à igreja, sacrificando tempo servindo a comunidade e fazendo boas obras que não temos tempo de ouvir o que Deus está tentando nos dizer pessoalmente. Deus sempre desejou e sempre desejará obediência em vez de sacrifício (ver 1 Samuel 15:22).

Com relação ao jejum de alimentos, creio que às vezes em que Deus me levou a fazer jejum de comida foram muito importantes para me ajudar a começar a ver os problemas mais profundos com os quais eu precisava tratar, e recomendo o jejum por períodos de tempo determinados por Deus, conforme Sua instrução e direção. Provavelmente precisamos ser capazes de controlar o que entra na nossa boca antes de esperarmos controlar o que sai dela.

As pessoas estavam acostumadas a jejuar muito nos dias de Jesus. Isso fazia parte do ritual religioso delas, mas Jesus lhes disse que o que estava no coração delas e saía por suas bocas era muito mais revelador e importante:

> Vocês não veem nem entendem que tudo o que entra pela boca passa para o estomago e assim passa para o lugar onde são depositados os dejetos?
>
> Mas tudo o que sai da boca vem do coração, e é isso que torna o homem impuro e [o] contamina.
>
> Porque do coração vêm os pensamentos (raciocínios, questionamentos e projetos) malignos como o assassinato, o adultério, o vício sexual, o roubo, o falso testemunho, a difamação e o falar irreverente.
>
> São esses que tornam o homem impuro e [o] contaminam.
>
> — Mateus 15:17-20a

É como se Jesus estivesse dizendo: vocês comem e vão ao banheiro, então tudo que ingeriram se vai, mas as coisas que saem de suas bocas são problemas aprisionados no seu coração e são muito mais importantes do que aquilo que se come. O que aconteceria se passássemos tanto tempo refletindo e planejando sobre o que vai sair da nossa boca (palavras) como fazemos com o que colocamos dentro dela (nosso alimento)? Eu pessoalmente penso muito sobre o que vou comer. Em qualquer dia posso lhe dizer por volta das dez da manhã ou mais cedo, o que vou comer naquele dia e talvez no próximo. O que como é importante para mim. Planejo isso, pago por isso, faço disso um acontecimento, e fico muito decepcionada se faço uma refeição ruim.

Creio que estou enfim começando a passar o mesmo tempo preparando o que sai da minha boca, mas levei anos para chegar até aqui.

Durante os anos em que vivi sendo apenas o que chamo agora de "religiosa", eu frequentava reuniões de oração, mas sinceramente muitas das minhas orações não estavam sendo respondidas. Era culpa do diabo ou minha? Em Isaías 58 a Bíblia nos ensina que existem algumas coisas específicas que precisamos examinar quando as nossas orações não estão sendo respondidas.

> Então chamarão, e o SENHOR responderá; vocês clamarão, e Ele dirá: Eis-me aqui. Se vocês tirarem do seu meio os jugos de opressão [onde quer que os encontrarem], o dedo apontado em escárnio [para com os oprimidos ou os piedosos] e toda forma de falar falso, áspero, injusto e mau.
>
> — Isaías 58:9

Esse versículo não requer um discernimento teológico muito profundo para ser compreendido. Seu significado é literal. Se eu quiser que minhas orações sejam rapidamente atendidas, preciso tratar as pessoas muito bem, nunca julgá-las de forma crítica e aprender a falar adequadamente removendo o discurso falso, áspero, injusto e mau. Ui! Ui! Ui! Alguém mais além de mim teve a sensação de ter sido apanhado em flagrante? Será que você precisa dizer, como eu: "Deus, sou culpado, por favor, perdoe-me e ensine-me a obedecer a esse versículo da Tua Palavra"?

A última linha do versículo 13 diz que precisamos parar de falar com as nossas próprias palavras fúteis. Isso significa que precisamos aprender a fazer um jejum de palavras. Não diga nada tão depressa a ponto de as palavras erradas saírem da sua boca antes mesmo de você se dar conta do peso delas, mas aprenda a fazer um "jejum" de palavras.

"Não Diga Isso"

Tenho tentado há três anos concluir com êxito um "jejum de palavras". Para mim, isso significa que quando a Bíblia me instrui a não falar de certo modo, faço o meu melhor para me refrear e não fazer isso, e quando falho, imediatamente me arrependo, peço perdão a Deus e procuro fazer melhor no futuro. Também significa que quando estou falando ou pensando em falar e o Espírito Santo sussurra "Não diga isso", paro imediatamente e repenso o que devo dizer, se é que devo dizer algo.

Adoraria ser capaz de lhe dizer que tive um enorme sucesso, mas a verdade é que não tive. Melhorei e estou tentando comemorar os meus sucessos, pois escrevi um livro sobre isso, também (*Coma o Biscoito, Compre os Sapatos*), mas tenho um caminho tão longo a percorrer que às vezes isso me deixa triste. Sou lembrada de que a Bíblia diz que ninguém pode domar a língua, e acredite, estou contando firmemente com Deus. Sei que não posso fazer isso sozinha, mas não posso desistir. Essa é uma área em que sinto que preciso continuar perseverando até ter vitória. Também estou consciente de que, se estou ousando escrever um livro sobre o poder das palavras, tentando ensinar às outras pessoas a tomarem cuidado com o que dizem, é possível que eu seja tentada pelo inimigo como nunca fui antes. Por que você não para agora mesmo e ora por si mesmo e por mim, para que ambos possamos resistir à tentação e dizer somente o que Deus diria quando falarmos?

Ao longo dos anos, melhorei drasticamente no que digo e não digo, mas para mim, essa é uma área onde "me sair bem" não é suficientemente bom. Sinto-me impelida por Deus a fazer desta uma missão para toda a vida se for preciso. Em outras palavras, decidi em meu coração que se for preciso lutar até morrer, quero que todas as minhas palavras sejam agradáveis a Deus. E mesmo quando isso acontecer, eu provavelmente não terei chegado à perfeição nessa área, mas pelo menos morrerei tentando!

Às vezes fico tão ocupada falando que simplesmente não ouço os sussurros do Espírito Santo. Outras vezes, porém, ouço quando Ele me alerta, mas quero tanto dizer o que estou contando que simplesmente continuo falando. A correção de Deus para mim nessa área está se tornando mais dura, e fico feliz com isso, porque é óbvio para mim que preciso que Ele continue me mostrando o quanto isso é sério.

Você está disposto a parar de falar e a reconsiderar o que está dizendo (ou está prestes a dizer) a qualquer momento em que o Espírito Santo sussurrar a você "Não diga isso"? Posso lhe dizer que fazer isso na prática não é tão fácil quanto simplesmente dizer que você o fará. Parece-me que às vezes a minha boca é como um animal selvagem que se solta e começa a correr e a derrubar as coisas, e é difícil fazê-la parar. Ou ela é como um daqueles brinquedos de corda, que, uma vez tendo dado corda, não para até ela acabar. Esses brinquedos são muito irritantes e geralmente mal consigo esperar até que eles se calem. Isso faz com que eu me pergunte se as pessoas às vezes sentem o mesmo a meu respeito quando estou falando.

Oro para que você assuma o compromisso de fazer um jejum de palavras, mas quero que você saiba que essa pode ser uma missão para toda a vida. Creio que Deus verá o nosso coração e talvez isso o faça sorrir simplesmente por saber que não queremos pecar com a nossa boca jamais.

Estude para Continuar Forte

Tenho uma coleção de livros sobre o poder das palavras, e também tenho a maioria das passagens bíblicas sobre o assunto sublinhadas em minha Bíblia. Muitas delas eu memorizei e outras escrevi em diários. Jamais poderia ter esperança de conseguir controlar minha língua se o que Palavra de Deus diz sobre o assunto não fosse prioridade nos meus estudos. Somos instruídos na Palavra de Deus a estudarmos a fim de nos mostrarmos aprovados, obreiros que não precisam se envergonhar. Se não estudarmos, podemos até ser culpados de dizer aos outros o que fazer e depois nós mesmos não o fazermos. Quantas vezes dissemos a um de nossos filhos ou a um amigo "Você não deveria dizer isto" ou "Você não deveria falar assim", quando, verdade seja dita, dizemos coisas ainda piores? Podemos ler um versículo uma vez e saber o que devemos fazer, mas precisamos estudar com diligência para que a informação se torne uma revelação que mudará o nosso comportamento.

Milhões de pessoas em todo o mundo vão à igreja regularmente e ouvem pregações, mas quantas estudam diligentemente a Palavra de Deus? Eu era uma dessas pessoas que frequentou a igreja por cerca de treze anos antes de começar a estudar com diligência. Posso dizer ainda que durante todos aqueles anos em que só frequentei a igreja, o meu comportamento não mudou muito para melhor. Mas depois que comecei a estudar, passei por muitas mudanças positivas. O apóstolo Paulo disse aos coríntios que se eles continuassem a estudar a Palavra de Deus, seriam transformados à imagem de Jesus Cristo (ver 2 Coríntios 3:18). Dedique um tempo para refletir sobre estes dois versículos da Bíblia:

> Estudem e sejam ávidos e façam o máximo para se apresentarem a Deus aprovados (testados por uma prova), obreiros que não têm motivo para se envergonhar, analisando corretamente e dividindo com exatidão [lidando corretamente e ensinando habilmente] a Palavra da Verdade.
> Mas evitem todo falatório vazio (vão, inútil, fútil), porque isso levará as pessoas a uma impiedade cada vez maior.
> — 2 Timóteo 2:15-16

É interessante que as ações de estudar a Palavra da Verdade e evitar as conversas fúteis e inúteis estão ligadas nesses dois versículos da Bíblia. Quanto mais estudamos, mais provável é que façamos o que Deus nos ordena.

Minha Boca e Meu Ministério

O ministério para o qual Deus me chamou é o ensino e a pregação da Sua Palavra, de modo que uso a minha boca o tempo todo. Costumo dizer: "Eu sou uma boca no Corpo de Cristo". Se você é um auxiliar, poderia dizer que é uma mão no Corpo de Cristo, etc. Não creio que seja possível eu ter a expectativa de falar palavras de poder no púlpito se digo palavras ásperas, injustas, vãs e inúteis durante o restante do tempo. Não posso reclamar do meu ministério e de todo o trabalho que tenho de fazer e esperar que meu ministério tenha êxito e seja poderoso. Não posso fazer fofoca, contar os segredos das pessoas, achar defeitos em todos e depois esperar que as minhas mensagens a respeito do amor exerçam um impacto positivo sobre as pessoas.

Já vi alguns pregadores cruéis, que criticam todos que não são exatamente como eles são, e também estive do outro lado recebendo críticas de alguns cristãos inimaginavelmente cruéis de espírito, e não quero ser como eles. Por outro lado, já estive com algumas das pessoas mais encantadoras do mundo, que genuinamente amam os outros e nunca têm uma palavra má a dizer sobre ninguém. Realmente quero ser como elas!

Encorajo você a passar tempo com pessoas com as quais você verdadeiramente deseja se parecer. Escolha pessoas que façam com que você queira melhorar, e não pessoas que tornem sua mente pequena e sua boca grande.

Passe tempo com pessoas que usam suas palavras com sabedoria, e isso irá encorajá-lo a fazer o mesmo.

A boca do profeta Isaías teve de ser purificada antes que ele pudesse exercer o chamado de Deus para a sua vida. Ele estava na presença de Deus e percebeu que tinha lábios impuros e que habitava no meio de um povo de impuros lábios. Ele rapidamente pediu a Deus para purificar os seus lábios, e só depois que isso foi feito Deus o liberou para ir e profetizar a Sua mensagem aos outros (ver Isaías 6:1-9). Qualquer pessoa que queira ser usada por Deus em qualquer tipo de ministério precisará aprender a disciplinar suas palavras. Precisará aprender a "fazer um jejum de palavras".

Jesus disse: "As Minhas palavras são espírito e são vida". Suas palavras eram extremamente poderosas. Quando Jesus falava, as pessoas ficavam perplexas, porque Ele falava como alguém que tem autoridade. Ele ordenava aos demônios e eles tinham de obedecer; Ele declarava cura e ela se manifestava. As palavras de Jesus não eram uma mistura de coisas boas e más. Ele era cuidadoso com Suas palavras. A Bíblia nos ensina que o Anticristo será morto com o sopro da boca de Jesus (ver 2 Tessalonicenses 2:8).

Há uma lista de qualificações para os líderes espirituais em 1 Timóteo 1:1-13, e vemos ali que um líder não deve ser caluniador ou ambíguo no falar, mas deve ser sincero em tudo o que diz. A lista também menciona que as mulheres não devem ser fofoqueiras, mas moderadas e ter domínio próprio. Para estar na liderança espiritual, precisamos ter mais do que um dom; precisamos também ter um caráter piedoso que precisa ser provado e testado. O nosso ministério (e todos nós temos um ministério se somos crentes) e a nossa eficácia têm muito a ver com a nossa boca, portanto vamos começar a levar o que dizemos mais a sério do que nunca.

Não Seja Extremista

Na minha busca por não falar demais e nunca dizer as coisas erradas, algumas vezes perdi o ponto de equilíbrio. Se Satanás não consegue fazer com que ignoremos um mandamento de Deus, ele frequentemente trabalha para fazer com que sejamos radicais. Por exemplo, devemos ir à igreja e orar e estudar a Palavra de Deus, mas conheci mulheres que passavam tempo demais fazendo essas coisas e ignoravam suas famílias. Elas se tornaram tão espirituais que "não serviam mais para viver na Terra", e os excessos delas fizeram com que seus maridos não salvos não quisessem nada com a igreja de Deus.

Sou uma pessoa falante, e alguns de vocês também são. Nossas personalidades são direcionadas para a verbalização. Meu marido, por outro lado, não é do tipo falador. Ele fala bastante, mas raramente fala demais. Movida pelo meu desejo de fazer um "jejum de palavras", tornei-me excessivamente calada e isso teve um efeito negativo sobre mim emocionalmente. Deus não quer que deixemos de falar, Ele quer que digamos as coisas certas. Ele quer que as nossas palavras sejam benéficas a Ele, a nós mesmos e às outras pessoas. Fazer um jejum de palavras não significa que não vamos falar, mas significa que escolheremos com muito cuidado o que diremos e o que não diremos. Jejuar significa que estamos dispostos a evitar ou a abrir mão de alguma coisa que normalmente faríamos. Por exemplo, estou tentando evitar interromper os outros enquanto eles falam. As pessoas que falam muito geralmente estão mais interessadas no que elas estão dizendo do que em ouvir o que os outros dizem, e quero ser respeitosa com todas as pessoas. Então estou jejuando de interromper os outros!

Existem áreas em que você poderia talvez fazer um jejum de palavras e aprender a ter mais domínio próprio? Alguns jejuns duram apenas um curto período; outros duram mais. Nos últimos anos, já jejuei de diversas maneiras por 40 dias, 28 dias, 10 dias, 7 dias, 3 dias, 1 dia e até uma refeição. Mas creio que o jejum de palavras será um jejum para toda a vida. Se você é alguém ousado e corajoso, por que não se une a mim e jejuamos juntos?

CAPÍTULO 11

Não Fale o Que é Mau

Não fale, a não ser que você possa aprimorar o silêncio.

— Provérbio espanhol

É possível nunca dizer nada a menos que seja algo positivo? Admito que há coisas que precisamos discutir que não se encaixam na categoria de "positivas", mas podemos aprender a falar de uma maneira positiva sobre coisas negativas. Podemos aprender a encontrar o bem em tudo e em todos. Se assumirmos o compromisso de procurar o que é bom, sempre o encontraremos em algum lugar.

> O amor resiste a toda e qualquer coisa que aconteça, está sempre pronto para crer no melhor de cada pessoa, as suas esperanças não perdem as forças sob qualquer circunstância, e ele suporta tudo [sem enfraquecer].
>
> — 1 Coríntios 13:7

As pessoas positivas cujos pensamentos são positivos e falam palavras positivas têm uma vida muito mais agradável do que aquelas que não o fazem. Por que somos tão inclinados a falar sobre coisas negativas ou o que Deus chama de "coisas más"? Simplesmente porque os seres humanos que não são controlados e guiados pelo Espírito de Deus sempre se sentirão inclinados a pensar negativamente. Por incrível que pareça, ser uma pessoa negativa ou fazer o que é errado nunca exige esforço, mas para fazer o que é certo precisamos nos esforçar. Principalmente até adquirirmos novos hábitos. Hoje em dia, para mim, não é tão difícil ver o lado bom das coisas como costumava ser, mas ainda tenho de exercitar a disciplina nessa área, especialmente quando acontece alguma coisa que realmente me magoa.

Eu não tinha consciência de que era uma pessoa negativa no modo de pensar e falar, até que Deus revelou isso a mim. Fui criada em uma atmosfera muito negativa; portanto, ser negativa parecia normal para mim. Meu pai realmente me disse muitas vezes "Você não pode confiar em ninguém, ninguém faz nada sem querer algo em troca". Cresci desconfiada e simplesmente observando o que havia de errado com as pessoas e com a vida em geral. Posso dizer que isso não fez de mim uma pessoa mais feliz.

Quando comecei a estudar a Palavra de Deus, percebi que alguma coisa estava errada. Quase sempre eu tinha a sensação de ter uma ameaça me rodeando, uma sensação de opressão, sugerindo que algo ruim iria acontecer. Estava acostumada a me decepcionar e a ter experiências ruins, de modo que cresci sem esperar nada além disso. Deus não quer que façamos isso, ao contrário, Ele quer que esperemos ansiosamente pelas coisas que virão e tenhamos expectativa de coisas boas. O plano de Deus para nós é bom, e precisamos concordar com Ele se quisermos ter Sua vontade manifestada em nossas vidas.

Deus me ensinou através da Sua Palavra que eu tinha o que a Bíblia Amplificada chama de "pressentimentos malignos".

> Todos os dias do oprimido e do aflito se tornam maus [pelos pensamentos e pressentimentos ansiosos], mas aquele que tem um coração satisfeito está continuamente em festa [independentemente das circunstâncias].
>
> — Provérbios 15:15

Você tem "pressentimentos malignos" ou conhece alguém que tenha? É uma experiência terrível porque tudo na vida parece sombrio e melancólico. Uma pessoa que tem pressentimentos malignos sempre espera o pior. Na noite em que Dave me pediu em casamento, ele me disse que queria conversar comigo sobre algo sério e eu imediatamente pensei que ele ia dizer que não queria mais me namorar. Naquela época, era simplesmente assim que a minha mente funcionava. Depois que Dave e eu estávamos casados há três semanas, ele olhou para mim um dia e disse: "O que há de errado com você? Por que você é tão negativa sobre tudo?" Respondi: "Se você não espera que nada de bom aconteça, então não se decepcionará quando nada de bom acontecer". Como você pode ver, eu tinha um problema grave, e Dave, que era muito positivo sobre tudo, acabou sendo um grande exemplo para mim.

Fiquei perplexa quando percebi que Deus queria que eu renovasse meu pensamento e começasse a esperar coisas boas. Com certeza todos nós preferiríamos coisas boas em vez de coisas más. Mesmo que tenha tido um passado triste, você pode ter um futuro brilhante aprendendo a concordar mental e verbalmente com Deus. A mudança em mim levou muito tempo, e muitas vezes eu me senti como se não estivesse fazendo progresso algum, mas à medida que continuei estudando e procurando deliberadamente o bem em tudo e em todos, mudei. Agora realmente não posso suportar ser negativa ou ficar perto de pessoas negativas por muito tempo. Quero que você tenha certeza de que as palavras e os pensamentos negativos podem ser trocados por outros positivos. Quanto mais positivos formos, mais desfrutaremos nossas vidas e as pessoas que fazem parte dela. As pessoas também gostam mais da nossa companhia quando não pensamos nem falamos o que é mau. Coisas boas acontecem a pessoas que esperam por elas com mais frequência do que àquelas que não esperam.

Más Notícias Chegam Rápido

Ainda me impressiono com a rapidez com que as más notícias chegam. Algo ruim pode acontecer nos círculos ministeriais do outro lado do mundo e dentro de vinte e quatro horas todos sabem do ocorrido ou pelo menos de uma versão dos fatos. Uma das piores coisas sobre espalhar más notícias é que as pessoas sempre aumentam os fatos e mudam o contexto do que aconteceu originalmente, até que no fim as histórias contadas não traduzem a verdade de modo algum. Esse é um dos motivos pelos quais precisamos tomar muito cuidado para não acreditar em tudo o que ouvimos. A Palavra de Deus nos ensina a não acreditarmos em uma acusação contra alguém a não ser que tenhamos confirmação de diversas pessoas. Somos rápidos demais em dar más notícias e em geral rápidos demais em acreditar nelas.

Entendo que há muitas situações desagradáveis em nossa sociedade hoje, mas ainda acredito que existe mais bem do que mal. O problema é que não ouvimos sobre o bem tanto quanto ouvimos sobre o mal. A mídia relata durante todo o tempo as más notícias de forma até mesmo sensacionalista, e isso faz com que as coisas pareçam piores do que realmente são. Sei disso em primeira mão porque fui tema dessas reportagens algumas vezes e posso lhe garantir que o que foi relatado estava longe da verdade. O mundo seria um lugar melhor se a nossa primeira reação aos rumores e fofocas infundados fosse: "Não acredito nisso". Às vezes aquilo que ouvimos acaba por ser verdadeiro, mas isso nos deveria ser provado antes de nos juntarmos a todas as outras pessoas que estão espalhando más notícias.

Quantas Pessoas Negativas Existem No Mundo?

Infelizmente, creio que existem mais pessoas negativas no mundo do que as que estão comprometidas em encontrar o bem em tudo e em todos. As pessoas que amam a Deus devem lutar pelo que é certo e bom, porque se não fizermos isso, ninguém mais o fará. Quando pessoas tementes a Deus não tomam atitudes, o mal aumenta. Deveríamos fundar um clube chamado "acreditando no melhor". Ainda que o clube seja composto somente dos membros da nossa família, simplesmente imagine que diferença poderia fazer em relação à atitude de todos em nosso lar. Nossa mente e nossa boca se sentirão tentadas a ir para o lado negativo, mas nosso livre-arbítrio é quem manda. Quando começarmos a usar nossa vontade para assumir a autoridade sobre toda a negatividade, a negatividade sairá!

Não basta meramente "desejar" para que alguém possa se tornar uma pessoa mais positiva. Sei disso, porque tentei fazer isso e nada aconteceu. Eu acreditava que simplesmente fazia parte da minha natureza ser mais desconfiada, então eu "desejava" ter uma natureza diferente. Tive de parar de dar essa desculpa quando aprendi, na Bíblia, que Deus nos dá uma nova natureza quando recebemos Jesus como nosso Salvador (ver 2 Coríntios 5:17). Realmente eu tinha uma nova natureza e você também tem se é um verdadeiro crente em Jesus Cristo. Gostaria de ter uma personalidade como a de Dave, mas não fiz um transplante de personalidade. Tive de trabalhar com o Espírito Santo e permitir que Ele mudasse minhas características negativas. Toda mudança começa quando enfrentamos a verdade e não damos desculpas para justificar nosso comportamento errado. A verdade nua e crua era que eu tinha uma atitude negativa, e mudar isso era um trabalho árduo, mas definitivamente valeu a pena no fim.

Eu disse que acabamos por nos "desviar" para o lado negativo se não usamos a disciplina e o domínio próprio. A tendência de tudo que está na água é ir corrente abaixo se não houver nada para impulsionar corrente acima. Não se deixe simplesmente levar para as partes negativas da vida, mas em vez disso nade contra a corrente e encontre o bem em tudo.

Moisés enviou doze homens à terra de Canaã como espias para ver se aquela terra era realmente tão boa quanto Deus havia lhes dito que seria. Quando voltaram após explorar a terra, dez homens deram um relato negativo (mau). Eles disseram que o fruto era bom, mas que havia gigantes na terra e eles eram mais poderosos que os israelitas. Só dois homens, Josué e Calebe, fizeram um relatório positivo. Eles disseram: "Não devemos demorar a tomar a terra porque somos capazes de fazer isso". Os dez homens negativos só viram o que havia de errado. É fato que havia gigantes e eles eram aterrorizantes, mas os dois homens positivos viam como Deus era maior do que qualquer das circunstâncias adversas. Eles procuraram o que era bom! Eles fizeram um relatório positivo embora houvesse coisas ruins que eles poderiam ter dito. Eles focaram no que era bom, e Deus disse que eles tinham um espírito diferente do restante do povo (ver Números 13:27-33). O espírito positivo deles era um espírito que Deus aprovava, e eles tiveram o privilégio de entrar na terra que Deus havia prometido.

Muitos dos filhos de Israel não puderam entrar na boa terra, porque eles se recusaram a ver qualquer coisa de bom. A verdade é que a maioria das pessoas nunca entrou no que Deus preparou para elas. Se olharmos para esses doze espias como um exemplo, teremos a impressão de que existem mais pessoas negativas do que positivas. Mas independentemente de quantas pessoas negativas existam ao nosso redor, se persistirmos em ser positivos, desfrutaremos a boa vida que Deus quer que tenhamos. Quando supervalorizamos alguma coisa, nós a tornamos maior, então por que não começar a supervalorizar as coisas boas da vida e ajudá-las a se sobressaírem às coisas más? Fale sobre o que há de bom na vida, faça um relatório positivo como a Bíblia nos ensina a fazer, pense em coisas boas e seja bom para as outras pessoas.

Comece em Casa

Comece com você mesmo e faça uma lista de todas as suas boas qualidades. Sei que isso pode ser difícil para alguns de vocês, mas você precisa começar a ver as boas características que tem e não apenas as más. Satanás lembra a todos nós diariamente o que há de errado conosco, mas podemos lembrá-lo do que está certo em nós se formos ousados o bastante para fazê-lo.

> Que o compartilhar da tua fé seja eficaz, pelo pleno conhecimento de que todo o bem de que dispomos está em Cristo.
> — Filemom 1:6

De acordo com esse versículo, devemos reconhecer as coisas boas em nós. Quando fazemos isso, sentimo-nos confiantes para fazer e ser tudo o que Deus deseja.

Nossos pensamentos e atitudes constituem a base para tudo que vem de nós. Se temos uma atitude negativa, geralmente está enraizada em pensamentos negativos acerca de nós mesmos. Comece tendo uma atitude correta e semelhante à de Deus em relação a si mesmo e parta daí. Deus trabalha de dentro para fora, e não de fora para dentro. Durante anos, pensei erroneamente que se as circunstâncias ao meu redor fossem melhores, minha atitude seria melhor. Eu pensava que o exterior poderia mudar o interior, mas Deus trabalha da maneira oposta. Ele nos dá uma nova natureza e um novo coração, coloca o Seu Espírito em nós e deseja que trabalhemos com o Seu Espírito Santo até que o que Ele colocou em nós pela Sua graça seja desenvolvido fora de nós e transborde para cada aspecto de nossas vidas.

> Desenvolvam (cultivem, atinjam o objetivo e completem plenamente) a sua própria salvação com reverência, assombro e tremor (sem confiar em vocês mesmos, com grande precaução, consciência ter-

na, vigilância contra a tentação, esquivando-se timidamente de tudo o que possa ofender a Deus e desacreditar o nome de Cristo).

(Não na sua própria força), porque é Deus quem está em todo o tempo operando em vocês.

— Filipenses 2:12-13

O Espírito de Deus está em nós, e o Seu Espírito é definitivamente positivo. Precisamos deixar que o Seu Espírito faça uma obra completa em nós, transformando os nossos pensamentos e atitudes com relação a nós mesmos e trabalhando externamente a partir desse fundamento até que possamos ver todas as coisas e todas as pessoas da maneira que Deus as vê. Mesmo em nossos piores momentos, Deus acredita no melhor com relação a nós e Ele trabalha conosco para extrair o melhor de nós.

Podemos começar pensando e dizendo: "Deus me ama incondicionalmente. Ele me deu o Seu Espírito e colocou um novo coração e uma nova atitude em mim. Tudo no meu espírito é bom e positivo e cheio de fé, e não permitirei que as coisas que acontecem ao meu redor ditem a minha atitude". Todas as vezes que fazemos alguma coisa pecaminosa, devemos imediatamente pedir a Deus que nos perdoe e seguir em uma nova direção. Não devemos ignorar as coisas erradas que fazemos, mas devemos ver e celebrar o que fazemos *certo*.

Talvez alguém tenha ferido seus sentimentos ontem, mas você rapidamente tomou a decisão de não ficar ofendido e esquecer. Isso é bom! Talvez você tivesse planos para o seu dia, mas um amigo precisou de ajuda e você mudou seus planos para ajudá-lo. Isso é bom! Se você passou tempo com Deus em oração e comunhão esta manhã e estudou a Sua Palavra, isso é bom! Estou certa de que existem muitas coisas boas em você e você deve começar a reconhecê-las.

Quanto mais positivo você for acerca de si mesmo, mais positivo será acerca das outras pessoas e das circunstâncias ao seu redor. Acredite no melhor para você mesmo e para todas as pessoas com quem você convive.

CAPÍTULO
12

Declare Fé e Não Medo

Tome cuidado com os seus pensamentos; eles podem se tornar palavras a qualquer momento.

— Ira Gassen

A Palavra de Deus nos ensina a conservar firme a nossa confissão de fé em Jesus Cristo (ver Hebreus 4:14). Isso significa que não importa qual seja a nossa situação, devemos continuar a declarar fé e não medo. Isso não significa negar as circunstâncias ao nosso redor, mas negar a elas o direito de nos governar.

Se acreditamos que as palavras têm poder, podemos facilmente entender por que é muito importante mantermos uma confissão de fé em Jesus Cristo em todas as circunstâncias. Quando Jesus se colocou diante do túmulo de Lázaro, com a intenção de ressuscitá-lo dos mortos, Marta falou com base em seus medos. Ela disse: "Mas Senhor, a esta altura ele [está em decomposição e] já cheira mal, pois está morto há quatro dias!" (João 11:39). Jesus respondeu dizendo: "Não lhe disse e lhe prometi que se você crer e confiar em Mim, você verá a glória de Deus?" (João 11:40).

Coloco minha confiança nesse versículo quando não estou entendendo nada que está acontecendo ao meu redor. Mesmo quando as circunstâncias da vida são tão dolorosas que parecem insuportáveis, tento me lembrar de dizer: "Eu creio e verei a glória de Deus".

A palavra *glória* significa a "manifestação da excelência de Deus". Ver a glória de Deus não significa necessariamente que conseguimos que as coisas sejam da maneira que queremos o tempo todo. Mas significa que podemos confiar em Deus para termos o Seu melhor em todas as situações. Pode não parecer o melhor para nós no momento, mas devemos confiar que o plano de Deus é melhor que o nosso. Gostaríamos de entender tudo o que Deus faz, mas confiar em Deus significa que sempre teremos algumas perguntas não respondidas, e precisamos aceitar isso. Não temos de entender todos os caminhos de Deus para dizer: "Creio em Deus, e verei a Sua glória".

O Medo Vem

O medo alcança todas as pessoas. Ele parece ser a primeira emoção que sentimos quando as coisas em nossas vidas ficam fora do nosso controle. Quando os exércitos que cercavam Israel se levantaram contra Josafá, ele temeu (ver 2 Crônicas 20:3). Mas então ele orou. Resista ao diabo desde o princípio — não permita que o medo se aloje no seu pensamento e comece a sair pela sua boca.

Josafá sentiu medo, mas ele declarou fé e nós podemos fazer o mesmo. No Jardim do Getsêmani, Jesus sentiu uma agonia tão intensa que suou gotas de sangue e pediu que, se possível, Deus removesse aquele cálice de sofrimento. No entanto, Ele foi crucificado pelos nossos pecados. Quando estava pendurado na cruz em terrível agonia, sentindo o peso esmagador dos pecados do mundo sobre Ele e sentindo que Seu Pai o havia abandonado, Jesus não disse: "Estou com tanto medo do que acontecerá comigo". Ele ainda assim orou com fé e disse: "Pai, em Tuas mãos entrego o Meu Espírito". Jesus manteve firme Sua confissão de fé, e nós podemos fazer o mesmo.

Em 1989, fui ao médico para fazer exames de rotina. Depois de alguns dias me disseram que eu tinha câncer no seio direito e que era indicada uma cirurgia radical devido ao tipo de câncer. Posso lhe dizer que com certeza "o medo veio". O medo foi a primeira emoção que senti, e ele era tão avassalador que senti de fato meus joelhos fraquejarem. O Espírito

Santo sussurrou em meu coração que era importante eu declarar fé e não medo. Tive muito tempo para praticar enquanto esperava pela cirurgia e depois a entrega dos relatórios que me diriam se o câncer havia sido erradicado com sucesso. Satanás tenta tirar vantagem do nosso tempo de espera, e ele bombardeia nossa mente com pensamentos de medo. Não tenho nenhum segredo para lhe contar que impedirá os pensamentos de medo de continuarem vindo, mas sei que você não precisa recebê-los como seus nem deixar que eles saiam pela sua boca. Sua boca e suas palavras pertencem a você, e você pode sempre escolher falar o que agradará a Deus e irá beneficiá-lo.

O apóstolo Mateus escreveu: "Não se preocupem nem fiquem ansiosos, dizendo: o que vamos comer? Ou o que vamos beber? Ou o que vamos vestir?" (Mateus 6:31). Observe que a preocupação vem em primeiro lugar e depois as palavras. O mesmo acontece com o medo — em primeiro lugar vêm os pensamentos e depois as palavras. Gostaria de sugerir algo a você que eu mesma tento praticar. Assim que o pensamento de medo entra em minha mente, falo em voz alta se estiver em um lugar adequado, dizendo: "Não temerei, confio em Deus". Ou digo: "Creio em Deus e verei a Sua glória". Se não posso falar em voz alta, combato o pensamento maligno com pensamentos de fé. Se estou vivendo um momento mais intenso, há dias em que parece que estou lutando o dia inteiro, mas precisamos estar dispostos a combater o bom combate da fé.

Tive de realmente permanecer firme durante as semanas em que esperava por todos os resultados de exames, mas as notícias foram boas e não precisei fazer nenhum outro tratamento. Muitos anos se passaram desde então, e a cada ano faço novos exames e ouço: "Sem câncer!" Esse desafio terminou, mas novos desafios se levantam regularmente, como acontece com todas as pessoas.

Até mesmo enquanto escrevo este livro, há novas coisas acontecendo ao meu redor que adorariam me distrair e me assustar, mas ainda estou dizendo: "Creio em Deus e verei a Sua Glória".

Se você está lidando com uma situação desagradável em sua vida neste instante, pare de ler e diga em voz alta aproximadamente cinco vezes: "Creio em Deus e verei a Sua Glória".

Tenho um cartaz diante de mim em uma mesa onde oro e estudo que diz simplesmente em grandes letras brilhantes: CREIA. Ele me lembra de que devo continuar acreditando nas promessas de Deus todas as vezes que a dúvida ou o medo tentam entrar. Muitas vezes verbalizo a minha fé e a declaro em voz alta! Sozinha em meu escritório, declaro que creio em Deus!

O salmista Davi disse: "Na hora em que eu temer, confiarei em Ti, Senhor". Ele admitiu que sentia medo, mas declarou que confiaria em Deus em meio a tudo. Ouvi dizer que existem 365 referências na Palavra de Deus que dizem "não temas", e que é uma para cada dia do ano. "Não temas" significa resistir ao medo e não permitir que ele controle suas ações. Podemos agir pela fé mesmo quando sentimos medo. A única atitude aceitável que os filhos de Deus podem ter para com o medo é: "Não temerei". Se você deixar o medo governar a sua vida, ele roubará a sua paz e a sua alegria e irá impedi-lo de cumprir o propósito para o qual foi destinado.

> O SENHOR está ao meu lado; não temerei. O que me pode fazer o homem?
>
> Salmos 118:6

Se nos deixamos controlar pelo medo e começamos a declará-lo, isso equivale a ter fé no que o diabo nos diz ou nos mostra em nossa mente. Podemos resistir a ele firmemente, mas precisamos conhecer a Palavra de Deus e adquirir o hábito de responder ao diabo com determinação! Quando ele lhe disser algo, você deve responder a ele. Todas as vezes que a dúvida, a preocupação ou o medo vierem, em vez de dizer "Tenho medo", ou "Estou preocupado", ou "Duvido", diga "Creio em Deus e verei a Sua Glória", ou cite outro versículo que você acha que se encaixa na situação que você está enfrentando.

Faça de "Não temerei" uma confissão diária em sua vida. Não espere até que você sinta medo, mas confesse diariamente que você é ousado e destemido. Prepare-se antecipadamente, e isso o ajudará a ser mais que vencedor quando as situações adversas se levantarem. Creio que somos mais que vencedores, como Romanos 8 diz que podemos ser, quando sabemos que venceremos a batalha antes mesmo de começar. Você tem essa confiança em Deus? Você acredita agora mesmo que independentemente do que venha contra você, você tem a vitória garantida por meio de Cristo? Recomendo que você adquira o hábito de dizer: "Não temerei" várias vezes ao dia. Se o fizer, então essa será uma das primeiras coisas que sairão da sua boca quando o medo vier.

Digam-no os Remidos do Senhor!

O que você diz sobre si mesmo e sobre a sua vida? Às vezes ouço as pessoas dizerem coisas que me deixam de cabelo em pé, mas um dia eu falei do mesmo modo que elas. Ouço coisas do tipo: "Sou um fracasso!" "Realmente a comida é um cativeiro para mim", "Gostaria de ser liberto do medo", "Vou desistir" ou "Meus problemas são massacrantes". Elas estão dizendo o que pensam e como se sentem, mas isso não está em concordância com a Palavra de Deus.

> Digam-no os remidos do SENHOR, aqueles a quem Ele livrou das mãos do inimigo.
>
> — Salmos 107:2

A Bíblia diz que aqueles que pertencem a Deus são redimidos e eles devem dizer isso. Fomos redimidos! Não estamos esperando para ser redimidos porque Jesus já pagou o preço da nossa redenção. Ela é nossa, e precisamos aprender a concordar com isso. A pessoa que tem problemas com comida não deve dizer "A comida é um cativeiro para mim", mas deve dizer "Tenho disciplina e domínio próprio, e como o que é bom para mim na quantidade certa para o meu corpo". Se a pessoa continuar dizendo que é escrava da comida, continuará acreditando nisso, mas se concordar com Deus e disser que é livre, ela agirá de acordo. Uma pessoa nunca deve dizer "Gostaria de ser liberta do medo", como se isso fosse alguma coisa que está flutuando ao nosso redor e que podemos pegar se desejarmos com muita força. Ela deve dizer: "Não temerei, sou ousada e livre do medo". Ou em vez de dizer "Meus problemas estão me oprimindo", ela deve dizer "Posso fazer o que for preciso na vida, por meio de Cristo que é a minha força".

Se realmente vivemos pela fé e acreditamos nas promessas de Deus, então a nossa confissão precisa mudar. Precisamos manter firme a nossa confissão de fé em Deus independentemente do que pensamos, de como nos sentimos ou de como as coisas pareçam estar. A fé é a evidência das coisas que se esperam, a prova de coisas que não vemos (ver Hebreus 11:1). Fazemos uma confissão de fé porque cremos na Palavra de Deus, não porque vemos ou sentimos determinada coisa.

O apóstolo Paulo escreveu à Igreja em Roma: "Como podemos viver ainda em pecado, uma vez que estamos mortos para o pecado?" (ver Romanos 6:2). Não conheço muitos cristãos que diriam que estão mortos para o pecado, porque não é isso que eles sentem. Paulo queria que as pessoas vivessem na realidade da sua redenção, a qual Jesus realizou na Cruz. Ele queria que elas acreditassem e dissessem que eram redimidas de acordo com a Palavra de Deus.

"Digam-no os remidos do Senhor!" Comece a declarar pela fé: "Sou redimido do pecado, da culpa e da condenação. Sou redimido da ira, da amargura, dos ciúmes, do medo e sou livre para amar a Deus, para amar a mim mesmo e para amar as outras pessoas". Precisamos ter essas verdades em nosso espírito antes de elas se tornarem parte da nossa experiência. A fé vem primeiro lugar, e depois vem a manifestação. No Reino de Deus, primeiro cremos e depois recebemos. Eu disse "Deus me ama" milhares de vezes pela fé antes de sentir isso. Poderíamos dizer que a confissão é uma grande parte do processo de receber. Escolhemos crer no que Deus diz e dizer a mesma coisa pela fé. Como resultado disso, confessar as promessas de Deus nos leva a possuí-las na nossa experiência.

O princípio de Deus da fé é exatamente o oposto do que o mundo ensina. O mundo diz: "Não acredite em nada que você não pode ver, cheirar ou tocar". Deus diz que andamos por fé e não por vista!

Digam-no os remidos do Senhor! Quando temos o privilégio de aprender a Palavra de Deus, devemos declarar essa Palavra fielmente de acordo com o profeta Jeremias.

> O profeta que tem um sonho, que conte o seu sonho; mas aquele que tem a Minha Palavra, que ele declare a Minha Palavra fielmente.
> — Jeremias 23:28

Deus é fiel, e isso significa que podemos esperar que Ele faça o que Ele diz que fará o tempo todo. Ele não faz isso durante uma parte do tempo, mas em todo o tempo e todas as vezes. Nunca há momentos em que Deus não cumpra as Suas promessas. Deveríamos também ser fiéis em fazer o que sabemos que devemos fazer o tempo todo. Dizer a coisa certa ocasionalmente não nos dará a vitória. Mas quando formos irredutíveis em declarar a palavra fielmente, veremos resultados incríveis no devido tempo.

Não faça meramente o que é certo por pouco tempo e depois desista se não tiver um resultado rápido. Faça o que é certo repetidamente até quebrar as fortalezas de Satanás. A Bíblia diz que temos armas que podemos usar para destruir fortalezas (ver 2 Coríntios 10:4-5). Creio que a principal é a Palavra de Deus proclamada com fé. A Palavra pode ser ensinada, pregada, lida, cantada ou falada e é somente a Palavra de Deus que derrubará as fortalezas demoníacas que foram erguidas na nossa mente por meio do engano. A verdade tem o poder de demolir as mentiras de Satanás!

Livre-se da Mistura

Precisamos ser fiéis aos princípios de Deus. Não pense que você pode ter um pouco de fé e um pouco de medo e ainda assim sair vitorioso. Não podemos declarar a Palavra em uma parte do tempo, declarar dúvida e incredulidade também e esperar um bom resultado. Se fizermos isso, o mal cancela o bem e acabamos voltando a não ter poder algum.

Quando comecei a aprender esses princípios, eu me disciplinava para falar positivamente quando estava com minhas amigas da igreja, mas em casa eu voltava ao meu velho eu negativo, falando palavras de medo, preocupação e dúvida. Como você pode imaginar, não me tornei uma pessoa mais feliz nem experimentei nenhuma vitória sobre as circunstâncias ao meu redor. Eu precisava me livrar dessa mistura de positividade e negatividade, das palavras de fé misturadas com palavras de medo, e comprometer-me em fazer a coisa certa o tempo todo. Eu sabia qual era a coisa certa a se fazer, mas deixava que minhas emoções tomassem o controle às vezes, e precisava levar muito mais a sério as palavras que dizia.

Ainda cometo erros, mas não adoto mais uma atitude leviana para com as palavras negativas achando que elas não são importantes. As palavras são muito importantes. Elas são receptáculos de poder, e temos de decidir que tipo de poder queremos que as nossas tenham.

Continue prosseguindo e avançado para o aperfeiçoamento em todas as áreas de sua vida, principalmente em proferir fé e não medo, e em manter uma confissão que glorifique a Deus.

O Medo Não Procede de Deus

Timóteo era um homem muito jovem que viveu em um tempo em que os cristãos estavam sendo perseguidos. Ele era filho espiritual do apóstolo Paulo e havia sido ordenado para o ministério do Evangelho pelos anciãos, mas o medo o estava atacando. Ele estava preocupado por ser jovem demais para o ministério e ser perseguido por sua crença em Jesus. Paulo disse a ele para avivar sua fé, soprar a chama e não deixar que o fogo que um dia esteve nele se apagasse. Quanto mais tempo permitimos que os pensamentos de medo entrem, com mais força eles nos dominam. Se falarmos sobre os nossos medos, sopramos a chama do medo. Mas se falarmos sobre a bondade de Deus, sobre a Sua fidelidade para conosco no passado e sobre o privilégio de viver pela fé, sopramos a chama da nossa fé e ela permanece viva e poderosa. Não nos tornamos fortes na fé automaticamente, e há momentos em que precisamos ativar a nossa fé e lembrar a nós mesmos que não temos de viver com medo.

Estou certa de que Timóteo estava tendo muitos pensamentos negativos e havia se esquecido da grande herança de fé que ele havia recebido de sua avó e de sua mãe, de modo que Paulo lembrou isso a ele (ver 2 Timóteo 1:1-6). Às vezes precisamos de alguém para interromper nosso discurso negativo e nos ajudar a voltar aos trilhos, e às vezes precisamos lembrar aos outros amorosamente do poder das palavras deles. Não podemos tomar sobre nós a incumbência de corrigir os erros dos outros o tempo todo, mas podemos e devemos ser guiados pelo Espírito Santo para falar uma palavra no devido tempo para aqueles que têm o coração aberto, como Paulo fez com Timóteo.

Paulo finalmente disse a Timóteo:

> Deus não nos deu espírito de timidez (de covardia, de medo servil que se encolhe e lisonjeia), mas [Ele nos deu o espírito] de poder, amor e calma e uma mente equilibrada, disciplina e domínio próprio.
> —2 Timóteo 1:7

O medo não procede de Deus; portanto, na próxima vez que sentir medo, abra a boca e diga: "Este medo não vem de Deus, não acredito nele e não o recebo". Depois diga com ousadia: "Creio em Deus e verei a Sua Glória". Isso pode ajudá-lo a lembrar o que o MEDO representa:

M – Mentira
E – Engano
D – Dano
O – Obscuridade

Satanás tenta nos amedrontar com suas mentiras, mas graças a Deus não temos de viver com medo!

PARTE II

A segunda parte deste livro é composta de capítulos sobre aquilo que devemos dizer e aquilo que não devemos dizer. Quero encorajá-lo a dizer deliberadamente coisas que agradam a Deus, embora você possa sentir vontade de dizer algo que não lhe agrade. Também quero encorajá-lo a não dizer coisas que não agradem a Deus. Diga coisas que ajudem e beneficiem você e as pessoas com quem você interage, e evite dizer coisas que não ajudem ou não tragam benefícios. Essa é uma diretriz extremamente simples acerca de como ter uma vida mais poderosa e cheia de alegria.

Agora que conhece o poder das palavras, há mais probabilidade de você se disciplinar para dizer as coisas certas que são agradáveis a Deus.

Deus nos deu o livre-arbítrio, e com a ajuda Dele, podemos escolher dizer o que sabemos que é certo em qualquer situação, ainda que sintamos vontade de dizer algo que seria meramente emocional e prejudicial aos outros e a nós mesmos. Quero tratar um pouco do que chamo de "pecados de palavras" mais comuns. Existem palavras que dizemos que são inúteis e até prejudiciais. Elas não são agradáveis a Deus, e na maioria dos casos, são coisas que Ele nos ordenou na Sua Palavra que não disséssemos. A maior parte das pessoas não considera os pecados desse tipo como muito importantes. Pelo menos não tão importantes quanto os "pecados maiores", como adultério, roubo, mentira ou assassinato, mas são mais importantes do que a maioria de nós percebe. Podemos categorizar o pecado como grande e pequeno, mas não creio que Deus faça isso. Alguns pecados podem exercer um impacto maior sobre as nossas vidas do que outros, mas pecado é pecado, e tudo é desobediência a Deus. Devemos desejar obedecer a Deus em todas as coisas, o tempo todo!

Muitas vezes abrimos a porta para problemas maiores em nossas vidas através das coisas que dizemos, mas quando cooperamos com o plano de Deus dizendo o que Ele diria em todas as situações, evitamos muitas armadilhas dolorosas que Satanás preparou para nós.

Como eu disse anteriormente, por favor, lembre-se de que é importante não apenas parar de dizer as coisas erradas, mas *começar a dizer as coisas certas*. As palavras são receptáculos de poder, e podemos decidir com que tipo de poder queremos enchê-las. Podemos reclamar ou ser gratos, podemos encorajar ou desencorajar os outros, podemos abençoar ou amaldiçoar o nosso próprio futuro, e podemos abrir ou fechar portas de oportunidade pela maneira de falarmos com os outros. É hora de sermos sábios em relação ao que dizemos. Que sejamos capazes de dizer, como Davi:

> Falarei coisas excelentes e magníficas; e a abertura dos meus lábios será para as coisas retas. Porque a minha boca pronunciará a verdade, e a injustiça é detestável e repulsiva aos meus lábios.
>
> Todas as palavras da minha boca são justas (retas e em posição correta diante de Deus); não há nada contrário à verdade ou fraudulento nelas.
>
> — Provérbios 8:6-8

CAPÍTULO 13

Não Reclame

Reclamar da era em que vivemos, murmurar dos atuais detentores do poder, lamentar o passado... é a disposição comum da maior parte da humanidade.

— Edmund Burke, 1770

Você é um Pato ou Uma Águia?

Um motorista de táxi apanhou um passageiro no aeroporto na cidade de Nova Iorque e imediatamente se apresentou como Wally. Ele ofereceu ao passageiro uma bebida gelada que estava em um refrigerador no banco da frente, o jornal do dia e a sua escolha musical entre alguns CDs cuidadosamente selecionados. O cliente ficou impressionado e perguntou:

— Você sempre atendeu seus passageiros assim?

Wally disse:

— Não, nem sempre. Os meus primeiros cinco anos como motorista passei reclamando como todos os demais taxistas fazem. Então ouvi um conferencista motivacional no rádio um dia. Ele disse que se você acordar esperando ter um mau dia, raramente será diferente disso. Depois ele disse: "Pare de reclamar! Não seja um pato. Seja uma águia. Os patos grasnam e reclamam. As águias voam acima da multidão." Naquele dia decidi parar de grasnar como os patos e começar a voar como as águias.

Quero que você faça uma experiência comigo. Apenas como um exercício, reserve um dia ou dois e pare para ouvir quantas pessoas reclamam ao seu redor, e enquanto faz isso, não se esqueça de também ouvir a si mesmo. Acho que chegar ao fim de um dia sem reclamar de nada poderia ser qualificado como um evento milagroso.

Como nossa boca dá expressão ao que pensamos e sentimos, ela revela a atitude do nosso coração para com a maioria das coisas. Podemos julgar pelas nossas palavras se somos gratos e reconhecemos a bondade de Deus ou se estamos descontentes. Se estamos descontentes, então, acredite se quiser, há por trás disso uma postura gananciosa. As pessoas gananciosas nunca se sentem satisfeitas por muito tempo, não importa o que têm ou vivenciam, e a ganância é pecado.

Murmurar, resmungar e reclamar são todas expressões que tratarei como "palavras de pecado". São pecados que cometemos através das palavras da nossa boca, mas também revelam um problema mais profundo, que é um coração que não é grato.

Quando estou ensinando esse assunto, costumo pedir às pessoas para abrirem suas Bíblias em Filipenses 2:14 e lerem. Não demora muito até que eu ouça lamentos, gemidos e um riso nervoso por todo o lado. O versículo diz: "Façam todas as coisas sem murmuração, sem apontar defeitos e sem reclamação [contra Deus] e sem questionar e duvidar [entre vocês]". As pessoas são imediatamente convencidas do erro quando leem esse versículo porque isso é algo que a maioria de nós faz diariamente, se não a cada hora. Você pode pensar: *não reclamo contra Deus, eu simplesmente reclamo*, mas Deus leva para o lado pessoal. Lembre-se de que Ele é o nosso Pai, o nosso Provedor e Aquele que cuida de nós, e quando reclamamos de alguma coisa, estamos basicamente dizendo que não gostamos do que Deus está fazendo e não confiamos na Sua liderança sobre nossas vidas. Mesmo que o que esteja acontecendo em nossas vidas não seja algo feito por Deus, é algo que Ele pode consertar se confiarmos Nele para fazê-lo. Se confiamos em Deus, então não murmuraremos nem reclamaremos, mas em vez disso declararemos nossa gratidão por Ele estar trabalhando em nossas vidas e nos dando a força necessária para fazer tudo o que precisamos enquanto esperamos.

Você Está Sendo Aprovado nos Seus Testes?

Digamos, por exemplo, que você esteja orando a Deus sobre ajudá-lo a ter um aumento de salário, mas em vez disso você tem um corte no salário por causa da situação econômica. O que você diria sobre isso? Começaria imediatamente a reclamar, ou diria: "Deus, confio em Ti para cuidar de mim, e se meu atual chefe não pode ou não quer me pagar o que mereço e preciso para viver adequadamente, então Te peço para me dirigir para outra posição que o faça".

O que você diria se, nos dias que se sucedessem, descobrisse que nem todos tiveram uma redução no salário e que, na verdade, alguns que você achava que mereciam menos receberam um aumento salarial proporcional à inflação? Você reclamaria mais alto e faria até algumas críticas em relação às outras pessoas que não tiveram de ter o salário reduzido? Ou continuaria a declarar a sua confiança em Deus e a agradecer-lhe por estar trabalhando em sua vida? Só porque alguma coisa não parece justa isso não significa que temos passe livre da parte de Deus para reclamar dela. Existem muitas coisas na vida que não são justas, mas Deus é quem faz justiça por nós, e Ele o fará se continuarmos a confiar Nele. É totalmente possível que uma situação como a que descrevi seja um teste de Deus e que Ele pretenda abençoar grandemente aquele que aparentemente está sendo tratado injustamente, se ele passar no teste. Precisamos louvar e bendizer a Deus nos vales da vida assim como no topo das montanhas.

Deus disse aos israelitas que Ele os conduziria pelo deserto para ver se eles guardariam os Seus mandamentos ou não (ver Deuteronômio 8). Se você está vivendo uma situação difícil ou passando por uma provação neste momento, discipline-se para não reclamar, mas em vez disso dar louvor e glória a Deus.

Como eu disse, Deus às vezes nos permite passar por situações desagradáveis para nos testar. Com frequência, Ele está preparando uma promoção para nós na vida se formos aprovados no teste que está diante de nós. Não vou compartilhar os detalhes da situação, mas lhe direi que enquanto escrevo este capítulo, estou passando por uma situação em minha própria vida que é muito injusta e diante da qual me sinto tentada a reclamar com frequência. Estou feliz por estar escrevendo este capítulo, se não para qualquer outra pessoa, para mim mesma, porque eu preciso dele. Estou sendo testada neste instante. E você?

> Amados, não se impressionem nem fiquem atônitos com o fogo ardente que lhes sobreveio para testar a sua qualidade, como se algo estranho (inusitado e de natureza diferente de vocês e de sua posição) lhes estivesse sucedendo.
>
> — 1 Pedro 4:12

Somos como crianças em uma escola que precisam passar nos testes para serem promovidas à série seguinte. Você está se saindo bem no teste da confiança ou está simplesmente murmurando quando as coisas não acontecem do seu jeito? Estou perguntando isso porque Deus me fez esta mesma pergunta muitas vezes. Deus tratou comigo com muita firmeza sobre a questão da reclamação e continua a fazer isso. Reclamar é um pecado, e não devemos olhar para a reclamação de outra forma.

Nossas orações de petição não têm poder diante de Deus a não ser que estejam imersas em orações de ações de graças. A Palavra de Deus nos ensina a não nos preocuparmos com nada, mas em todas as circunstâncias, pela oração e petição, *com ações de graças* (ênfase minha), continuem a tornar os seus pedidos conhecidos a Deus (ver Filipenses 4:6).

A sabedoria de Deus nos ensina que uma oração de petição com reclamação não tem poder algum. Essa oração não tem qualquer chance de ser respondida. Não podemos sequer entrar na presença de Deus a não ser que entremos com ações de graças.

> Entrem pelas Suas portas com ações de graças e com oferta de gratidão, e nos Seus átrios com louvor! Sejam gratos e digam isso a Ele, bendigam e louvem afetuosamente o Seu nome!
>
> — Salmos 100:4

Muitas orações são palavras desperdiçadas porque vêm da boca de uma pessoa que murmura, reclama e aponta erros em muitas coisas. Deus não responde às orações desse tipo de pessoa porque ela está mostrando com a sua atitude e com suas palavras que não confia em Deus e não tem gratidão. Não cometa o erro de pensar que o seu caso é especial e, portanto, a sua reclamação é justificada. Podemos encontrar muitos motivos para reclamar, mas não encontrei nenhum motivo que seja aceitável para Deus.

Talvez você seja alguém que ama genuinamente a Deus, mas tem o hábito de reclamar e ainda não percebeu o quanto isso é desrespeitoso a Deus. Esse era o meu caso. Eu tinha o mau hábito de reclamar e tinha um problema com a minha atitude. Os maus hábitos geralmente constituem fruto das más atitudes, e nunca mudaremos até reconhecermos a verdade e permitirmos que ela nos liberte. Não é fácil admitir que temos uma atitude negativa, mas esse é o caminho para a liberdade e a mudança.

Você é grato? Você declara a sua gratidão a Deus e aos outros? O quanto você murmura e reclama? Se está convencido de seu pecado nessa área, não há condenação, mas você deve pedir a Deus para perdoá-lo e aprender tudo o que puder ao respeito do que Deus tem a dizer sobre os perigos da reclamação.

Reclamar É Realmente Pecado?

Os israelitas eram escravos no Egito e clamaram a Deus pela libertação durante muitos anos. Deus realmente enviou-lhes um libertador. Ele enviou Moisés, a quem equipou para conduzi-los para fora do Egito através do deserto, e para entrar na terra que Ele havia lhes prometido dar, uma terra de abundância onde eles seriam abençoados de muitas formas.

A jornada do Egito até a terra de Canaã que Deus havia lhes prometido dar era uma viagem de onze dias, mas eles perambularam pelo deserto por quarenta anos. A maioria deles morreu no deserto e nunca viu a realidade da promessa de Deus. Como a maioria de nós, eles colocaram a culpa pela falta de progresso em muitas coisas. Era culpa de Deus, culpa de Moisés e de todas as nações inimigas que os cercavam. Por incrível que pareça, eles nunca pensaram nem sequer consideraram que a culpa poderia ser deles mesmos. Isso lhe parece familiar?

Os israelitas permaneceram no deserto porque tinham uma atitude negativa, e um dos pecados cometidos por eles foi o pecado da murmuração, da acusação e da reclamação.

> E eles percorreram do Monte Hor pelo caminho do Mar Vermelho, para contornar a terra de Edom, e o povo ficou impaciente (deprimido, muito desanimado), por causa [das provações] do caminho.
> — Números 21:4

Como muitos de nós, os israelitas só estavam satisfeitos, contentes e gratos quando tudo saía como esperavam, mas quando havia provações, eles reclamavam.

> E o povo falou contra Deus e contra Moisés. Por que você nos tirou do Egito para morrer no deserto? Porque não há pão, nem há água, e detestamos este maná de baixa caloria (desprezível, não substancial).
> — Números 21:5

Você consegue perceber a atitude negativa deles quando lê isto? A inquietação deles é culpa de Deus! É culpa de Moisés! Eles estão pensando em morte e não em progredir! E o que é pior, estão reclamando do maná milagroso que Deus havia enviado do céu diariamente para alimentá-los! Um dos piores problemas com a reclamação é que ela impede que vejamos todas as bênçãos que temos. Os israelitas haviam ficado muito entusiasmados com o maná (o pão celestial), mas agora eles o detestavam. A atitude gananciosa deles fez com que exigissem cada vez mais. A ganância e a atitude negativa deles os cegaram para a bondade de Deus. Quando nos permitimos ser presa desse tipo de atitude negativa, isso nos mantém prisioneiros da exata situação da qual queremos sair. Certa vez vi uma definição da palavra *reclamar* que dizia que ela significa "permanecer". Quando reclamo de uma situação, permaneço nela, mas uma atitude de gratidão e louvor irá tirar-me dela. Os israelitas não puderam fazer nada senão andar em círculos sem parar ao redor das mesmas montanhas, perambulando pelo deserto, embora a fronteira da Terra Prometida estivesse a alguns dias de distância, simplesmente porque murmuravam, colocavam a culpa em alguém e reclamavam.

Você está em uma situação ou circunstância da qual quer se livrar? Nesse caso, comece a encontrar coisas pelas quais ser grato. Não fique meramente olhando para as coisas que você não tem, mas olhe para tudo o que tem. Seja grato e diga isso! Suas palavras de gratidão derrotam o diabo e frustram os planos dele de fazer mal, mas as palavras de reclamação o ajudam a cumprir o seu plano maligno. Os israelitas murmuraram e reclamaram e o Senhor enviou serpentes ardentes para o acampamento deles.

> Então o SENHOR enviou serpentes ardentes para o meio do povo; e elas morderam as pessoas, e muitos israelitas morreram.
> E o povo foi a Moisés, e disse: Pecamos, porque falamos contra o SENHOR e contra você; ore ao SENHOR, para que Ele retire as serpentes de nós. Então Moisés orou pelo povo.
> — Números 21:6-7

É uma vergonha que as pessoas tenham tido de morrer antes de perceber que a atitude negativa delas e suas palavras duras representavam um grande pecado. Em referência a esses versículos, 1 Coríntios 10:8 nos diz que vinte e três mil israelitas caíram mortos naquele dia. Aquele foi um dia trágico, e poderia ter sido evitado se o povo tivesse simplesmente confiado em Deus e sido grato pelo que tinha.

Não estou dizendo que se reclamarmos, cairemos mortos, mas creio de verdade que há uma lição nessa passagem da Bíblia que não devemos ignorar. Sou grata porque vivemos na dispensação da graça e porque Deus é misericordioso, mas isso não significa que não fazemos mal a nós mesmos e impedimos o plano de Deus para as nossas vidas quando continuamos murmurando e reclamando mesmo depois de entender que isso é pecado.

Peço que você reserve tempo para ler os quatro versículos seguintes e para refletir sobre eles cuidadosamente. Sei que às vezes somos tentados a passar por cima de alguns trechos da Bíblia quando estamos lendo livros como este, mas, por favor, não faça isso porque esses versículos contêm uma advertência solene à qual devemos prestar atenção.

> Não devemos gratificar o desejo maligno nem ceder à imoralidade como alguns deles fizeram — e vinte e três mil [de repente] caíram mortos em um único dia!
> Não devemos tentar ao SENHOR [testar a Sua paciência, nos tornarmos uma provação para Ele, avaliá-lo de forma crítica e explo-

rar a Sua bondade] como alguns deles fizeram e foram mortos por serpentes venenosas;

Nem reclamar em descontentamento como alguns deles fizeram — e foram totalmente eliminados do caminho pelo destruidor (a morte).

Ora, estas coisas lhes sucederam como figura [como um exemplo e advertência para nós]; elas foram escritas para nos advertir e nos preparar para agirmos corretamente por meio da boa instrução.

— 1 Coríntios 10:8-11

Se você fez o que pedi e realmente deu uma boa olhada nestes versículos, provavelmente está sentado boquiaberto e pasmo assim como eu fiquei quando pela primeira vez acreditei de fato no que Deus está dizendo aqui. Para resumir, Ele está dizendo que os israelitas murmuraram e reclamaram, e depois em lugar de assumir a responsabilidade por sua atitude negativa, continuaram a pecar culpando a Deus e a Moisés pelos problemas que haviam criado para si mesmos. A desobediência deles abriu uma porta para as serpentes venenosas (que representam o diabo) atacá-los, e muitos deles morreram. Aqueles que morreram provavelmente foram os que mais reclamaram e envenenaram a atitude de outras pessoas com a sua atitude. Estou certa de que eles sabiam o que era certo e entendiam o poder do louvor e das ações de graças, mas não se disciplinaram para honrar a Deus. O versículo final afirma claramente que isso foi escrito para nossa instrução e para nos ajudar a não cometer os mesmos erros que eles.

Há muitos anos decidi acreditar nesses versículos ao pé da letra, e comecei naquela época a me esforçar para parar de reclamar. Não alcancei a perfeição. Na verdade, recentemente percebi que reclamo quase que diariamente porque um trecho de cinco quilômetros em uma estrada perto de minha casa não possui torre de celular e não posso fazer minhas ligações. Não tenho nenhum problema para telefonar no restante do trajeto, mas reclamo da inconveniência desses cinco quilômetros. Lembro-me de quando eu era adolescente e a única maneira de dar um telefonema se eu estivesse dirigindo era estacionar em uma área que tivesse um orelhão, encontrar as moedas no valor correto e sair do carro para dar o telefonema. O que temos disponível hoje é extremamente conveniente, mas eu reclamava da curta distância que provavelmente leva três ou quatro minutos para ser percorrida. Pedi a Deus para me perdoar e para me tornar consciente disso quando estou reclamando.

Agora que me dei conta do que eu estava fazendo, parece algo completamente ridículo, mas isso mostra como caímos na armadilha da reclamação sem sequer estarmos conscientes disso. Precisamos da ajuda de Deus!

Espero e oro para que nossos olhos sejam abertos e façamos um esforço genuíno para não reclamar mais, mas em vez disso sejamos muito gratos por toda a bondade de Deus em nossas vidas.

> Por meio dele, portanto, ofereçamos constantemente e em todo o tempo a Deus sacrifício de louvor, que é o fruto de lábios que, com gratidão, reconhecem, confessam e glorificam o Seu nome.
> — Hebreus 13:15

CAPÍTULO
14

Palavras de Encorajamento

Nada pode substituir algumas palavras de louvor bem escolhidas, oportunas e sinceras. Elas são absolutamente gratuitas, mas valem uma fortuna.

— Sam Walton

Palavras de encorajamento são talvez algumas das palavras mais valiosas do mundo. Walt Disney dizia que existem três tipos de pessoas no mundo. Primeiro, há aqueles que o envenenam, que o desanimam e desprezam sua criatividade, dizendo-lhe o que você não pode fazer. Depois, vêm os "cortadores de grama", as pessoas que são bem-intencionadas, mas egocêntricas. Elas cuidam das suas próprias necessidades, cortam a sua própria grama e nunca saem de seu próprio jardim para ajudar outra pessoa. Finalmente, há os "promotores de vida", as pessoas que estendem a mão para enriquecer a vida de outros, para animá-los e inspirá-los. Precisamos ser promotores de vida, e precisamos nos cercar de pessoas assim.

A palavra *encorajar* é definida no *Dicionário Bíblico Vine* como "exortar alguém a avançar, instigar ou confortar". Significa também estimular alguém a viver sua vida ao máximo. Todos nós precisamos de encorajamento porque há momentos na vida em que nos sentimos esgotados e temos vontade de desistir. Deixe-me mencionar pelo menos três momentos na vida em que podemos precisar de encorajamento.

O primeiro é quando estamos enfrentando grandes desafios ou dificuldades de algum tipo. Pode ser uma dificuldade financeira, uma doença ou cuidar de uma mãe ou pai idoso. Pode ser a perda de um ente querido, uma dificuldade conjugal ou um filho que se desviou. Durante esses momentos, costumamos pensar e sentir que simplesmente não podemos continuar, mas uma palavra de encorajamento vinda de alguém a quem amamos e respeitamos ou mesmo de um completo estranho, pode nos dar a coragem que precisamos para seguir em frente e ver a vitória. Uma palavra de encorajamento durante uma crise vale mais que uma hora de elogios depois da vitória.

Quando encorajamos outras pessoas, emprestamos-lhe nossa coragem. Eis uma história interessante que ouvi.

Stonewall Jackson (que se tornou um general famoso da Confederação durante a Guerra Civil norte-americana) era aluno da escola militar em West Point. Embora fosse brilhante, passou por um período difícil e teve um dia particularmente ruim no seu treinamento militar. Ele marcou uma hora com o seu superior para aconselhamento. Nessa ocasião, ele confidenciou ao seu superior mais velho que estava desanimado. O oficial se levantou e declarou: "Entendo que esteja desanimado. Não se preocupe, filho. Hoje você vai pegar a minha coragem emprestada!"

Se ninguém estivesse disposto a encorajar Jackson naquela altura de sua carreira, é possível que ele não tivesse sido o grande general que foi. Podemos ajudar as pessoas ao longo do caminho delas, encorajando-as.

Um segundo momento da vida no qual precisamos de encorajamento é quando temos uma grande e nova oportunidade diante de nós. Às vezes, o chamado para fazer algo maior do que já fizemos antes parece avassalador. Nós nos perguntamos se estamos à altura daquilo ou se podemos fazer o que é necessário. Quando recebemos a oportunidade de fazer algo que nunca fizemos antes, podemos começar a sentir medo do fracasso. Uma palavra de encorajamento pode fazer a diferença entre o sucesso e o fracasso. Simplesmente ter alguém que diga: "Acredito em você e sei que você é capaz", pode dar a alguém a força necessária para seguir em frente. As crianças pequenas em especial precisam saber sem sombra de dúvida que seus pais acreditam nelas. Quem não gostaria de ter a confiança do garotinho que disse a seu pai: "Vamos jogar dardos, papai. Eu jogo e você diz: 'Maravilhoso!'"

Um dia, senti que deveria enviar uma mensagem de texto a uma mulher que atua no ramo da música, que é muito famosa e com quem falo ocasionalmente, e simplesmente dizer a ela: "Tenho orgulho de você por não se desviar da sua fé em uma indústria que sei que pode ser desafiadora". Normalmente, não acharia que ela precisasse do meu encorajamento porque ela não é apenas uma estrela da música, ela é uma megaestrela, mas a reação dela foi a seguinte: "Você jamais saberá o quanto seu encorajamento significou para mim. Saber que você tem orgulho de mim é maravilhoso".

Mais tarde entendi que muitas pessoas não receberam ou ainda não recebem de seus pais naturais o encorajamento de que precisam, e receber isso de uma mãe ou pai espiritual pode compensar essa perda. Diga a seus filhos, e até a seus netos, que você tem orgulho deles e veja-os se iluminarem e se encherem de confiança.

A terceira área em que geralmente precisamos de encorajamento é simplesmente viver a vida comum diária com entusiasmo. É fácil se entediar com a realização dos deveres do cotidiano. Nós nos levantamos e vamos nos deitar, nos levantamos e vamos nos deitar, e nesse intervalo cuidamos de tarefas intermináveis que parecem se repetir todos os dias. Vejo que muito da nossa vida se resume a lidar com esse tipo de coisas. Nem sempre podemos ter alguma coisa nova acontecendo ou estar nos preparando para uma viagem de férias empolgante. Considerando que a maior parte da vida é corriqueira, precisamos ser capazes de vivê-la com alegria e prazer.

Ilumine o Dia de Alguém

Dizer palavras de encorajamento às pessoas ajuda-as. É como um raio de luz em um dia que do contrário seria comum. Vejo que os elogios encorajam as pessoas. Ontem eu estava na fila do caixa de uma loja, e uma mulher idosa estava trabalhando na caixa registradora. Percebi que embora ela tivesse as rugas próprias da idade, sua pele tinha um brilho muito bonito e ela tinha adoráveis bochechas rosadas. Sua pele fazia com que ela parecesse suave e gentil, então eu disse isso a ela. Posso lhe dizer que meu elogio a surpreendeu, mas ela gostou dele. Se eu observar atentamente, parece que quando elogio as pessoas, a postura delas muda e elas se tornam um pouco mais altas do que eram, uma pequena luz passa a brilhar em seus olhos e elas sempre sorriem! Podemos colocar sorrisos nos rostos das pessoas todos os dias.

Adquira o hábito de elogiar as pessoas. Diga algo gentil e encorajador a todos a quem encontrar, e as pessoas sempre ficarão felizes ao ver você chegando. Você também ficará mais feliz, porque quando fazemos os outros felizes, isso volta para nós. Quando ilumina o dia de alguém, você também ilumina o seu. Você se lembra da parte deste livro onde eu disse que comemos as nossas palavras? Pois esta é outra maneira de ver esse princípio em ação. Quanto melhor eu fizer as pessoas se sentirem, melhor eu mesma vou me sentir. Não sinta vergonha de elogiar as pessoas que você não conhece. Só porque não conhecemos alguém, isso não significa que Deus não possa nos usar para tornar aquela pessoa mais alegre e edificá-la.

Muitas pessoas com quem entramos em contato no nosso dia a dia estão vivendo em trevas. Elas ou não têm nenhum relacionamento com Jesus, que é a Luz do mundo, ou têm segredos obscuros dos quais estão fugindo, ou estão cercadas por circunstâncias tenebrosas e dolorosas. Podemos deixar o Espírito Santo trabalhar através de nós cumprindo uma parte do Seu ministério, que é consolar e encorajar.

Se mais maridos e esposas fizessem elogios e demonstrassem reconhecimento de valor uns pelos outros, haveria muito menos divórcios. Quando as pessoas se divorciam, elas costumam pensar e afirmar que isso aconteceu por causa de algum grande problema em suas vidas, mas creio que muitas vezes é porque elas se esqueceram das simples gentilezas da vida que deveriam estar demonstrando umas às outras. E mesmo que tenham ocorrido problemas mais sérios, talvez nunca tivessem tomado maiores proporções se cada uma delas tivesse encorajado a outra. Dave e eu estamos casados há quarenta e cinco anos enquanto escrevo este livro, e continuamos a elogiar um ao outro. É muito comum e humano desencorajar e apontar erros, mas ser alguém que encoraja outras pessoas é uma característica que vem de Deus.

Mais Encorajadores, Por Favor

Bajule-me, e talvez eu não acredite em você. Critique-me, e talvez eu não goste de você. Ignore-me, e talvez eu nunca perdoe você. Encoraje-me, e eu não me esquecerei de você.

— William Arthur Ward

Palavras de encorajamento edificam as pessoas e as fortalecem para serem tudo o que podem ser na vida. Elas ajudam as pessoas a não desistirem de seus sonhos, mas a seguirem em frente até alcançarem a vitória. Sou muito grata pelas pessoas que me encorajaram na vida, mas devo dizer que gostaria que existissem mais delas.

Jean Nidetch, uma dona de casa desesperada por perder peso, decidiu que precisava de algum tipo de apoio enquanto tentava perder mais de 22 quilos. Convidou seis amigas que estavam acima do peso para juntar-se a ela em uma dieta e reunirem-se semanalmente para falar sobre permanecer na dieta. Essas reuniões acabaram se tornando os Vigilantes do Peso, que Nidetch fundou em 1963. Hoje, existem mais de um milhão de membros que se reúnem em vinte e quatro países. Quando perguntaram a Nidetch qual o segredo de seu sucesso para ajudar as pessoas a perderem peso, ela respondeu: "Quando era adolescente, atravessava um parque onde via as mães fofocando enquanto as crianças ficavam sentadas no balanço sem ninguém para empurrá-las. Eu dava um empurrãozinho nelas. Sabe o que acontece quando você empurra uma criança em um balanço? Logo ela está se balançando, sem a ajuda de ninguém. Este é o meu papel na vida: estou aqui para dar um empurrãozinho nas pessoas".

Todos nós precisamos de encorajamento, e eu não sou exceção.

Quando Deus me chamou para ensinar a Sua Palavra, a maioria das pessoas que eu conhecia me criticou e desencorajou. Elas me disseram o que eu não podia fazer e por que não podia fazê-lo, lembrando-me frequentemente da minha falta de habilidade. De acordo com elas, eu não tinha a personalidade certa, não era do sexo certo, porque só homens podiam ensinar a Bíblia naquele tempo, e elas me lembraram de que eu era uma mulher. Elas me diziam que eu não tinha as credenciais corretas porque não havia cursado um seminário e não tinha instrução suficiente. Posso dizer com segurança que apenas Dave e um casal de amigos me encorajaram. Fui convidada a deixar a minha igreja e passei a não ser mais bem-vinda nos círculos sociais dos quais fazíamos parte. Eu adoraria ter sido cercada de pessoas que me encorajassem, e estou certa de que isso teria tornado a minha jornada muito mais fácil.

Deixe-me dizer que Satanás é o autor do desânimo, e embora essas pessoas fossem cristãs, elas ignorantemente permitiram que Satanás as usasse para tentar frustrar um plano que Deus tinha para a minha vida. As suas opiniões pessoais e atitudes mentais equivocadas atrapalharam sua capacidade de me ajudar a seguir o meu caminho. Deveríamos tomar muito cuidado para não desencorajarmos as pessoas só porque elas querem fazer algo que nunca foi feito antes. Thomas Edison foi tremendamente desencorajado por muitos enquanto pesquisava para descobrir a lâmpada elétrica, mas fico feliz por ele ter perseverado. Alexander Graham Bell foi considerado louco por pensar que as vozes das pessoas poderiam ser transmitidas pelas ondas eletromagnéticas, mas agora todos nós carregamos telefones celulares e podemos nos comunicar entre continentes em questão de segundos.

Não é que não possamos sobreviver sem encorajamento, mas imagine o quanto as coisas seriam mais fáceis se tivéssemos mais pessoas que nos encorajam em nossas vidas.

Muitas das grandes invenções do mundo foram criadas por pessoas que tiveram de lutar contra palavras desanimadoras que lhes foram ditas por outros. Felizmente, não desistiram, mas quantos outros desistiram porque não tiveram ninguém para encorajá-los ao longo do caminho? Quantas coisas maravilhosas nós perdemos porque não temos "encorajadores" suficientes no mundo? Provavelmente mais do que podemos imaginar.

As crianças precisam de encorajamento tanto quanto precisam de alimentos, roupas e abrigo. Sean e Leigh Anne Tuhoy, o casal retratado no filme baseado em fatos reais *Um Sonho Possível*, compartilham a seguinte história em seu livro *In a Heartbeat* (Na Batida do Coração):

> Há um programa do congresso norte-americano pouco conhecido que concede estágios para jovens que saíram dos orfanatos devido à idade. São jovens que nunca foram adotados e não têm mais direito de serem mantidos pelo Estado.
>
> Um senador empregou um desses jovens como estagiário. Certa manhã, o senador entrou correndo para uma reunião e descobriu

que seu estagiário já estava no escritório, reorganizando toda a sala de correspondência. O senador disse ao estagiário:
— Isto é impressionante, a sala de correspondência nunca esteve tão limpa. Você fez um excelente trabalho.
Alguns minutos depois o senador viu que o estagiário tinha lágrimas descendo pelo rosto. Ele disse:
— Filho, você está bem?
— Sim — respondeu o estagiário baixinho.
— Eu disse alguma coisa que o ofendeu?
— Não, senhor.
— Bem, o que há de errado?
O jovem disse:
— É a primeira vez na minha vida que alguém me disse que eu fiz algo de bom.

Qualquer pessoa pode assumir o compromisso de encorajar outras. Tudo que temos a fazer é pedir a Deus para nos usar e começarmos a ver as pessoas como Ele as vê. Ele vê o bem nas pessoas e as possibilidades que existem, e podemos nos treinar para fazer o mesmo. Procure o que é positivo e exalte essas coisas! Peça a Deus para colocar no seu coração palavras de encorajamento que você possa dizer a outras pessoas. Por exemplo, se você vir uma pessoa que está usando lilás e lhe vier o pensamento, "Você fica linda com essa cor", porque não abrir a sua boca e dizer isso? Ela não pode ler a sua mente, mas é maravilhoso dar uma palavra no momento oportuno ou na hora certa.

Às vezes uma única palavra pode fazer toda a diferença. Robert Schuller conta uma história sobre um banqueiro que sempre jogava uma moeda no copo de um mendigo que não tinha uma das pernas e que ficava sentado na rua do lado de fora do banco. Mas, ao contrário da maioria das pessoas, o banqueiro sempre insistia em comprar um dos lápis que o homem tinha ao seu lado como recompensa pelas doações. "Você é um comerciante", dizia o banqueiro, "e eu sempre espero receber uma boa mercadoria dos comerciantes com quem negocio". Um dia, o homem sem uma perna não estava na calçada. O tempo passou e o banqueiro se esqueceu dele, até entrar em um prédio público e ali no balcão de vendas, estava o ex-mendigo sentado. Ele obviamente era o proprietário do seu pequeno negócio agora. "Sempre tive a esperança de que você passasse por aqui algum dia", disse o homem. "Você é em grande parte o responsável por eu estar aqui agora. Você sempre me dizia que eu era um 'comerciante'. Comecei a pensar em mim mesmo dessa forma, em vez de um mendigo que recebia esmolas. Comecei a vender lápis, muitos lápis. Você me deu respeito próprio, fez com que eu olhasse para mim mesmo de um modo diferente".

> O homem tem alegria em dar uma resposta adequada, e a palavra dita a seu tempo, quão boa ela é!
> — Provérbios 15:23

Algumas pessoas têm o dom de encorajar outras, e isso parece vir naturalmente para elas. São pessoas maravilhosas que fazem todos se sentirem bem a qualquer momento quando estão por perto. Eu não tinha esse dom natural, mas treinei a mim mesma para ser assim. Isso me exige algum esforço e talvez também exija de você, mas podemos fazê-lo. Talvez não tenhamos o dom natural de sermos encorajadores, mas todos nós fomos ordenados por Deus a encorajar outras pessoas e, se isso não for o bastante, também fomos ordenados a não as desencorajar criticando-as e censurando-as.

Podemos ver quanta importância o apóstolo Paulo dava a encorajarmos uns aos outros pelo que ele escreveu à Igreja de Tessalônica. Ele tinha consciência das dificuldades impostas pelo tempo em que viviam e sabia que muitos desistiriam e não completariam a sua jornada de fé se não fossem encorajados.

> Portanto, encorajem (incentivem, admoestem) uns aos outros e edifiquem (fortaleçam e levantem) uns aos outros, assim como vocês estão fazendo.
> — 1 Tessalonicenses 5:11

> Encorajem os tímidos e os medrosos, ajudem e deem o seu apoio às almas fracas, [e] sejam muito pacientes com todos [sempre mantendo a sua calma].
> — 1 Tessalonicenses 5:14b

Vamos nos lembrar de seguir esse conselho.

O Espírito Santo é um Encorajador

Deus obviamente sabe o quanto o encorajamento é importante porque Ele nos enviou um Consolador e Encorajador Divino quando mandou o Espírito Santo. Ninguém é tão bom em encorajar quanto Ele, e é somente porque nós o temos em nossas vidas que podemos ter êxito mesmo quando não temos nenhum agente humano para nos encorajar. O Espírito Santo é o *parakletos*, a palavra grega para alguém que anda ao nosso lado, nos auxiliando, encorajando, edificando e consolando. Jesus disse que quando Ele fosse embora, enviaria outro Consolador e Ele enviou o Espírito Santo.

De acordo com a Bíblia, Deus é a fonte de toda consolação e encorajamento. Creio que Ele quer trabalhar através das pessoas para proporcionar esse ministério maravilhoso, mas felizmente Ele nos envia o Seu Espírito mesmo quando as pessoas falham.

> Bendito seja o Deus e Pai de nosso Senhor Jesus Cristo, o Pai da compreensão (piedade e misericórdia) e o Deus [que é a Fonte] de todo consolo (consolação e encorajamento).
>
> Que nos conforta (encoraja e consola) em toda tribulação (calamidade e aflição), para que possamos também ser capazes de confortar (consolar e encorajar) aqueles que estão em qualquer tipo de tribulação ou sofrimento, com o conforto (consolação e encorajamento) com que nós mesmos somos confortados (consolados e encorajados) por Deus.
>
> — 2 Coríntios 1:3-4

Quando comecei este ministério, embora não tivesse muito encorajamento das pessoas, recebi do Espírito Santo a coragem para prosseguir. Experimentei o Seu consolo e Ele me ajudou a desenvolver um relacionamento de intimidade com Ele! Não se desespere se você não receber das pessoas o que precisa, mas em vez disso, vá a Deus, Ele sempre será mais do que suficiente em todas as situações. Na verdade, creio que há momentos em que Deus não permitirá que as pessoas atendam às nossas necessidades simplesmente porque Ele quer nos ministrar pessoalmente.

Deus nos consola no nosso tempo de necessidade para que possamos depois consolar outras pessoas. Deus sempre espera que venhamos a dar a outros o que Ele nos dá. Essa é uma lei espiritual e é a maneira de manter um fluir constante do que quer que precisemos em nossas vidas. Deus primeiro nos dá e a Sua Palavra diz que devemos dar e nos será dado com abundância transbordante (ver Lucas 6:38). Nunca podemos dar mais do que Deus. Quanto mais encorajamos os outros, mais encorajados seremos. Se meramente recebermos o consolo de Deus no nosso tempo de necessidade, mas depois não nos dermos ao trabalho de encorajar outros, logo descobriremos que a nossa fonte de consolo não está mais fluindo quando precisamos dela. Uma atitude áspera para com as outras pessoas fecha a porta da misericórdia que nós mesmos precisamos.

Não Permita que Seus Próprios Problemas Atrapalhem

Grandes pessoas têm a capacidade de não permitir que suas próprias necessidades legítimas as impeçam de ser uma bênção para outros que estão necessitados. Eis uma história que prova o meu ponto de vista.

Dois homens, ambos gravemente enfermos, ocupavam o mesmo quarto de hospital. Um homem podia se sentar em sua cama por uma hora todas as tardes para ajudar a drenar o líquido de seus pulmões. Sua cama ficava próxima à única janela do quarto. O outro homem tinha de passar todo o tempo deitado de costas.

Os homens conversavam por horas a fio. Falavam sobre suas esposas e famílias, casas, trabalhos, seu envolvimento com o serviço militar, sobre onde haviam passado as férias. E todas as tardes, quando o homem que ficava na cama junto à janela podia se sentar, ele passava o tempo descrevendo para o seu colega de quarto todas as coisas que podia ver do lado de fora da janela.

O homem no outro leito começou a viver aguardando aqueles períodos de uma hora onde o seu mundo podia ser ampliado e avivado por toda a atividade e cor do mundo exterior.

A janela dava para um parque com um lindo lago. Patos e cisnes brincavam na água enquanto as crianças colocavam seus barcos para flutuar. Jovens namorados andavam de braços dados entre as flores de todas as cores do arco-íris. Grandes árvores antigas adornavam a paisagem, e uma bela vista do horizonte da cidade podia ser vista à distância.

Enquanto o homem junto à janela descrevia tudo isso com riqueza de detalhes, o homem do outro lado do quarto fechava os olhos e imaginava a cena pitoresca. Em uma tarde quente o homem junto à janela descreveu um desfile que estava passando. Embora o outro homem não conseguisse ouvir a banda, podia vê-la com os olhos da sua mente enquanto o homem junto à janela retratava tudo com palavras descritivas.

Dias e semanas se passaram. Certa manhã, a enfermeira do dia chegou para levar água para o banho deles, e encontrou o corpo sem vida do homem junto à janela, que havia morrido em paz durante o sono. Ela ficou triste e chamou os atendentes do hospital para levarem o corpo. Assim que lhe pareceu apropriado, o outro homem perguntou se ele poderia ser transferido para junto da janela. A enfermeira ficou feliz em fazer a troca, e depois de se certificar de que ele estava confortável, ela o deixou sozinho.

Lenta e dolorosamente, ele se apoiou em um cotovelo para dar a primeira olhada no mundo lá fora. Até que enfim, ele teria a alegria de vê-lo por si mesmo. Ele se esforçou para se virar lentamente para olhar para fora da janela ao lado da cama. Ela dava para uma parede vazia. O homem perguntou à enfermeira o que poderia ter levado o seu colega de quarto falecido a descrever coisas tão maravilhosas do lado de fora. A enfermeira respondeu que aquele homem era cego e não podia sequer ver a parede. Ela disse: "Talvez ele quisesse apenas encorajá-lo".

O homem cego definitivamente cumpriu o versículo que diz:

> Que cada um de nós adote a prática de agradar (fazer feliz) ao seu próximo para o seu bem e para o seu verdadeiro bem-estar, a fim de edificá-lo (fortalecê-lo e levantá-lo espiritualmente).
> — Romanos 15:2

Se há alguma pessoa se perguntando qual é o seu propósito na vida, pode parar de se perguntar. Não podemos encontrar um propósito mais elevado que nos unirmos ao Espírito Santo em Seu ministério de consolo e encorajamento.

CAPÍTULO 15

O Amor Ouve e Fala

Podemos e devemos adquirir o hábito de amar as pessoas com as nossas palavras, mas antes que possamos fazer isso adequadamente, precisamos aprender a ouvi-las de verdade. Escutar não é o mesmo que ouvir, ou pelo menos podemos dizer que ouvir de verdade é uma maneira mais profunda de escutar. Parte da definição de escutar no *Dicionário Bíblico Vine* é "escutar e estar atento ou ouvir plenamente". Podemos ver a partir disso que só porque ouvimos a voz de alguém, e ainda que entendamos as palavras que são ditas, isso não significa que estamos realmente prestando atenção.

Admito neste instante que essa é uma área na qual preciso melhorar. Provavelmente ainda gosto de falar mais do que de ouvir, mas estou crescendo! Vejo que fico impaciente com pessoas que me dão detalhes demais quando me contam as coisas. Quero apenas ir direto ao ponto, mas ainda preciso escutar as pessoas respeitosamente porque todos nós nos comunicamos com base nas nossas próprias personalidades. Precisamos de pessoas mais minuciosas porque perderíamos muito na vida e cometeríamos muitos erros se essas pessoas maravilhosas não existissem. Deus coloca dons e habilidades diferentes em cada um de nós, e devemos aprender a valorizar cada indivíduo e a sua singularidade.

Dave é mais minucioso que eu, de modo que quando ele me conta histórias sobre as coisas que viu ou ouviu, demora mais tempo do que eu levaria para contar as mesmas coisas a ele. Alguns dos detalhes que ele gosta de compartilhar podem não parecer importantes para mim, mas obviamente são importantes para ele, e parte do amor é ouvir respeitosamente. Então, agora que confessei minha fraqueza, vou prosseguir e veremos juntos o que podemos aprender.

Ouvir Ativamente

Jesus disse que se nós o amarmos, iremos obedecer-lhe. Mas não podemos obedecer-lhe se não escutamos o que Ele quer nos dizer. A maneira como ouvimos o ensino bíblico determina o que extraímos dele. A Bíblia diz que a medida de reflexão e estudo que damos à verdade que ouvimos é a medida de virtude e conhecimento que receberemos dela (ver Marcos 4:24).

Podemos ouvir o que está sendo dito sem realmente *escutar* o que está sendo dito. A maioria das pessoas não consegue lhe dizer o que ouviu na igreja quatro horas depois de terem estado ali. Achavam que estavam ouvindo, mas era apenas um ouvir superficial. É bom tomar notas quando você está ouvindo algo que não quer esquecer. Repense o que ouviu; reflita sobre isso. Quando mais você o fizer, mais colherá. Por exemplo, posso ouvir um sermão sobre amor sacrificial e sobre como é importante sacrificar meus próprios desejos para ajudar outros, mas o que isso significa realmente? Se não reflito sobre o assunto, posso não entender direito ou não entender o suficiente para tomar qualquer atitude a respeito. Fiquei sentada no local, ouvi as palavras, mas não ouvi realmente a mensagem se ela não me move a entrar em ação.

Se eu passar tempo pensando no assunto, perceberei que sacrificar não significa que é errado fazer coisas para mim mesma ou coisas que aprecio. Significa que não posso viver unicamente para mim mesma e esperar sempre que as coisas sejam do meu jeito. Sacrificar-se pelos outros significa que haverá momentos em que o Espírito Santo me impelirá a usar meu tempo e meu dinheiro, para os quais eu tinha planos, em benefício de alguém que está em necessidade. Na nossa sociedade cristã, geralmente somos educados muito além do nosso nível de obediência, e creio que é porque não escutamos com a profundidade necessária aquilo que ouvimos. Ouvimos superficialmente o que está sendo dito, mas não nos aprofundamos. Portanto, embora possamos ouvir a mesma coisa repetidas vezes, ela nunca muda o nosso comportamento.

Creio que também ouvimos as pessoas que falam conosco desse mesmo modo, e é por isso que muitas vezes não percebemos estar diante de alguém que está sofrendo ou que tem alguma carência. Infelizmente, ouvimos o som das palavras delas, mas não as escutamos de verdade.

Com que frequência um homem ou uma mulher tenta dizer ao seu parceiro conjugal que não se sente realizado, que está solitário e infeliz, apenas para ser ignorado ou para ouvir que a maneira como se sente é tolice? Com muita frequência, e então, uma situação que já é ruim piora, e o parceiro infeliz sente-se tentado a procurar em outra pessoa o que deveria receber dentro do casamento. Por fim, o casal se divorcia, e muitas pessoas se magoam. O parceiro que não ouviu balança a cabeça, incrédulo, dizendo: "Não sei o que aconteceu". Mas talvez o que aconteceu foi que ele deixou de ouvir. Se ele tivesse ouvido, poderia ter dito: "Fale-me mais a respeito disso, porque quero saber como você se sente e quero suprir as suas necessidades legítimas".

Ou talvez um empregador tenha dito a um empregado que não está satisfeito com o seu desempenho no trabalho, ou que os atrasos dele não serão mais tolerados por muito tempo, mas o empregado não ouviu realmente. O empregado ouviu o chefe, mas não levou a sério o que ele disse. Então ele fica chocado quando perde o emprego. Lembro-me de um homem que perdeu sua posição no nosso ministério e disse: "Se vocês não estavam satisfeitos com o meu desempenho, por que não me disseram? Eu deveria ter sido avisado que corria o risco de perder o emprego". Mas nós havíamos conversado com ele diversas vezes, e isso estava até documentado na pasta dele no escritório. Ele ouviu, mas não escutou de verdade.

Deveríamos adquirir o hábito de realmente escutar. Antes de tudo, devemos escutar a Deus. Se o fizermos, isso nos poupará muitos problemas e constrangimentos na vida. Lembro-me do que nosso filho David disse há alguns anos: "Mamãe e papai, posso dizer sinceramente que todas as vezes que vocês precisam me corrigir por causa de alguma coisa no trabalho ou por alguma atitude negativa que estou tendo, Deus já tentou me dizer diversas vezes o que vocês acabaram de me falar. Ficarei feliz quando eu aprender realmente a escutá-lo, para não continuar tendo de passar pela dor e o constrangimento de ser corrigido por vocês". Estou certa de que todos nós podemos nos identificar com isso porque a mesma coisa já aconteceu conosco. Se escutarmos a Deus, Ele sempre nos conduzirá pelo caminho que devemos seguir. A Bíblia diz que a sabedoria grita pelas ruas, mas ninguém ouve.

Podemos amar a Deus dizendo: "Sim, Senhor", a todas as Suas instruções, mas primeiro precisamos escutar de verdade.

Escute-se a Si Mesmo

Escutar a nós mesmos pode ser uma lição e tanto. A Bíblia nos ensina que o que dizemos sai do nosso coração; portanto, podemos aprender muito a respeito das coisas mais profundas que existem em nós, escutando. Se aprendermos mais sobre nós mesmos e estivermos dispostos a encarar a verdade, então podemos amar a nós mesmos o bastante para mudarmos. Se você está disposto a se disciplinar para mudar, está demonstrando amor por si mesmo assim como por Deus e pelas outras pessoas. Disciplinar a si mesmo para ser o melhor que você puder ser é demonstrar uma atitude amorosa para consigo mesmo e isso é bom. Deus quer que amemos a nós mesmos adequadamente porque somos criação Dele.

A. B. Simpson disse em seu livro *The Gentle Love of the Holy Spirit* (O Amor Suave do Espírito Santo): "Ter temperança é amar a si mesmo verdadeiramente e ter a devida consideração pelos nossos próprios e verdadeiros interesses, que é tanto o dever de amar quanto a consideração pelos interesses dos outros". Quero ter certeza de que você entenda essa belíssima ideia. Disciplinar a si mesmo para ser tudo o que você pode ser é demonstrar o amor genuíno por si mesmo e é tão importante quanto demonstrar amor pelas outras pessoas.

Se você ouve a si mesmo dizendo o tempo todo que está cansado, então talvez você precise ouvir a si mesmo e descansar um pouco. Se você ouve a si mesmo dizer frequentemente que está estressado porque sua agenda está muito cheia, então talvez você deva fazer algumas mudanças saudáveis na sua agenda. Se nós sabemos o que está errado em nossas vidas e continuamos a ignorar isso, então não estamos demonstrando o devido amor por nós mesmos. Serei ousada e direi que se não amamos a nós mesmos de uma maneira equilibrada, então não amamos de fato a Deus tão completamente quanto deveríamos, porque Ele ordena isso. Devemos amá-lo primeiro e depois amar o nosso próximo como amamos a nós mesmos. Um bom relacionamento com Deus, com nós mesmos e com o nosso próximo é necessário para estarmos em plena obediência a Deus.

Deveríamos também adquirir o hábito de escutar o que dizemos sobre nós mesmos. Não faça comentários depreciativos sobre si mesmo. Não diga coisas como: "Sou burro", ou "Eu nunca faço nada certo", ou "Sou um fracassado". Estive com alguém recentemente que perdeu sua carteira e deve ter dito dez vezes: "Sou um estúpido!" Eu ficava dizendo: "Não, você não é estúpido, apenas cometeu um erro". Lembro-me de estar no campo de golfe com Dave e ouvir um homem do grupo chamar a si mesmo de "idiota" todas as vezes que dava uma tacada da qual não gostava. Pensei: *gostaria que este homem soubesse o dano que ele está causando à sua autoimagem com as suas próprias palavras.*

Somos ensinados na Palavra de Deus a não nos termos em mais alta conta do que deveríamos, e a não pensarmos que somos melhores que os outros, mas também não somos ensinados a ter uma opinião negativa acerca de nós mesmos. Mais uma vez, deixe-me dizer que devemos valorizar a nós mesmos porque fomos criados à imagem do próprio Deus. O que você diz sobre si mesmo é uma das questões mais importantes da vida. Creio que mencionei anteriormente ter sido provado cientificamente que acreditamos mais naquilo que ouvimos nós mesmos dizer do que no que qualquer outra pessoa nos diz, portanto tome cuidado com o que diz a si mesmo e sobre si mesmo!

O Que as Pessoas Estão Realmente Dizendo Quando Falam?

Estou certa de que você já ouviu alguém dizer: "Tentei ler nas entrelinhas". As pessoas dizem isso quando conversam com alguém que sentem estar tentando dizer algo de forma encoberta. Em outras palavras, a pessoa não está sendo direta, mas espera que a ouçamos ainda assim.

A maioria de nós pergunta aos outros: "Como você está hoje?" Às vezes esse é apenas um hábito educado, e realmente não nos importamos em saber como a pessoa de fato está. Mas se nos importamos, devemos aprender a ler nas entrelinhas. Se eu perguntar a alguém como está e ele responder com uma voz desanimada: "Tudo bem...", na verdade ele está me dizendo que há algo errado. Pode estar tendo um dia difícil, um ano difícil ou uma vida difícil, e essa é uma oportunidade que tenho de amar essa pessoa com as minhas palavras. Por ter de fato ouvido, posso entender que essa pessoa está sofrendo de alguma forma, e posso perguntar a mim mesma: "Como posso encorajá-la?"

Se eu fizer isso, não demorará muito para que Deus coloque alguma coisa em meu coração para perguntar ou dizer que demonstre que me importo com ela. Como eu disse anteriormente, nem sequer precisamos conhecer bem as pessoas para fazer isso. Posso dizer a um vendedor ou a um funcionário: "Sei que você trabalha aqui há muito tempo e quero que você saiba que percebi que você faz um trabalho muito bom", ou "Obrigada por me ajudar". Isso pode fazer uma enorme diferença para a pessoa que está se sentindo cansada e esgotada.

Às vezes perguntamos às pessoas como elas estão e elas são sinceras e nos dizem, mas não queremos dedicar tempo para realmente ouvir a história triste delas, então dizemos alguma coisa que não significa nada para elas, e depois corremos para os nossos afazeres. Você já contou a uma pessoa como realmente estava se sentindo quando ela perguntou e a viu se contorcer ou dizer "Que chato" e mudar de assunto assim que possível? Você já foi a pessoa que estava do outro lado dessa conversa?

Uma mulher de negócios de sucesso recentemente compartilhou a história da lição mais importante que aprendeu na escola. Durante uma aula de economia, seu professor disse aos alunos para colocarem seus cadernos de lado; ele iria dar um teste surpresa. Ela era uma boa aluna e havia lido rapidamente as perguntas até chegar à última: "Qual é o primeiro nome da mulher que limpa a escola?" *Com certeza isso é alguma espécie de brincadeira*, ela pensou.

Ela havia visto a mulher da limpeza diversas vezes. Ela era alta, tinha cabelos escuros e cerca de cinquenta anos. Mas será que os alunos sabiam seu nome? Ela entregou sua folha, deixando a última questão em branco. Antes do fim da aula, um aluno perguntou se a última pergunta contaria na nota do teste. "É claro que sim", disse o professor. "Nas suas carreiras, vocês conhecerão muitas pessoas. Todas são importantes. Elas merecem a sua atenção e cuidado, ainda que tudo o que vocês fizerem seja sorrir e dizer 'olá'". A mulher de negócios disse: "Nunca me esqueci dessa lição. Também aprendi que o nome dela era Dorothy".

Jesus parava o que estava fazendo por causa das pessoas o tempo todo. Ele tinha uma agenda, um plano e um propósito assim como nós, mas sempre tinha tempo para as pessoas, especialmente se elas estivessem sofrendo. Ele parou para um cego, para um aleijado, para a mulher com o fluxo de sangue, para a mãe cujo filho havia morrido, para um oficial do exército cujo servo estava enfermo, para o pai cuja filha estava morrendo, para as criancinhas e para qualquer outra pessoa que tinha uma necessidade. Quando Jesus encontrou o homem que estava deitado junto ao tanque de Betesda esperando por um milagre, perguntou ao homem há quanto tempo ele estava deitado ali aleijado. Creio que Jesus fez essa pergunta apenas para demonstrar cuidado e compaixão. Ele já sabia que podia curar o homem, mas estava interessado o bastante para querer saber mais sobre ele.

Você alguma vez percebeu que não estava fazendo perguntas às pessoas por não querer perder tempo ouvindo a resposta delas? Sei que é algo terrível, mas se estivermos dispostos a admitir, provavelmente todos nós sentimos isso às vezes. Ficamos tão envolvidos com o que estamos fazendo que perdemos oportunidades de ouvir e de amar as pessoas todos os dias.

As palavras são poderosas. Todos nós deveríamos assumir o compromisso de usar as nossas palavras para amar as pessoas e animá-las. Todos os dias, quando saímos de nossas casas, estamos entrando em uma sociedade que está se afogando na tragédia. Deus nos deu a capacidade de ajudar os outros. Ele nos deu as palavras, e se nós as usarmos adequadamente, elas podem transformar vidas.

CAPÍTULO
16

Não Permita que o Diabo Fale Através de Você

Você pode ser tentado a simplesmente pular este capítulo, pensando: *este com certeza não sou eu. Eu não deixo o diabo falar através de mim!* Nesse caso, entendo como você deve se sentir, mas, por favor, continue lendo só por garantia, caso haja algo aqui para você aprender.

Se permitirmos que o diabo fale através de nós, então estamos, por assim dizer, "trabalhando para ele." Por exemplo, ele é mencionado como o "Acusador dos irmãos". Isso significa que ele traz continuamente acusação contra os filhos de Deus, tentando acusá-los diante de Deus, fazer com que eles se sintam culpados e condenados, e até fazendo com que outros tenham pensamentos acusadores contra eles. Se permitirmos que esse espírito de acusação opere através de nós, então iremos fácil e rapidamente encontrar defeitos em muitas pessoas e coisas. O diabo também nos acusa diante de nós mesmos. Ele coloca pensamentos de acusação em nossa mente, ou nos acusa através de outras pessoas. A Bíblia diz que nós o vencemos pelo sangue do Cordeiro e pela palavra do nosso testemunho (ver Apocalipse 12:10-11). Se conhecemos a verdade da Palavra de Deus e agimos com base nela, podemos derrotar o diabo!

O diabo exalta os erros — os nossos e os das outras pessoas. A não ser que ouçamos realmente a Deus, focaremos somente nos erros e deixaremos de ver o bem em nós mesmos ou nas outras pessoas. Satanás e qualquer pessoa influenciada por ele sempre focam no que está errado e aumentam esses erros de forma desproporcional, a fim de que pareçam ainda maiores e piores do que realmente são.

Expulse Aquele que Aponta os Defeitos

O diabo procura por defeitos, portanto se nos concentrarmos apenas no que está errado com nós mesmos e com as outras pessoas, estamos copiando a natureza dele. Entretanto, se somos realmente Seus filhos, Deus nos deu uma nova natureza e precisamos aprender a atuar a partir da parte renovada do nosso ser. A Bíblia diz que devemos nos despir do velho homem e nos revestir do novo homem que é recriado em Jesus Cristo (ver Efésios 4:22-24). *Revestir* e *despir* são expressões que exigem de nós tomar uma atitude que geralmente vai além da maneira como nos sentimos. Se quisermos agir de acordo com a nova natureza que Deus nos deu, então inicialmente teremos de fazer isso deliberadamente. À medida que seguirmos a direção do nosso espírito renovado e do Espírito Santo que habita em nós, desenvolveremos novos hábitos, mas isso leva tempo. Deus opera com base no princípio do "crescimento gradual", e isso significa que as coisas mudam pouco a pouco. Para ver a plenitude do plano de Deus acontecer, precisamos ser pacientes e aprender a celebrar o nosso progresso. Precisamos reconhecer o quanto já avançamos no que diz respeito a atingir nossos objetivos, e não apenas ver o quanto ainda falta avançar.

Admito que durante muitos anos da minha vida eu era definitivamente uma pessoa que apontava erros, e sendo assim, estava ajudando o inimigo na causa dele, mas eu não sabia disso. Embora eu fosse cristã, estava deixando o diabo usar a minha boca. Ignorava muitos dos princípios de Deus, e principalmente o quanto as minhas palavras eram importantes. Eu não apenas observava os erros das pessoas, como também dizia a elas e aos outros tudo sobre eles. Eu era uma censuradora, fofoqueira, difamadora e acusadora, e isso não é algo de que me orgulhe, mas tive de admiti-lo para ser liberta desses erros. Quero encorajá-lo a ser honesto consigo mesmo embora geralmente seja muito doloroso fazermos isso. Você é alguém que facilmente percebe o que está errado com tudo e com todos? Ou tende a ver o bem na vida e nas pessoas? Se é do tipo que percebe o que há de errado, você consegue racionalizar consigo mesmo e dizer: "Também tenho erros, e Deus não me chamou para julgar e condenar, mas para amar as pessoas e orar por elas"? Ou você não apenas vê o que está errado, como também fala sobre isso a todos os que quiserem ouvir?

Não apenas tendemos a falar sobre o que está errado com as pessoas, como também tendemos a falar sobre o que está errado no mundo, no governo, no nosso emprego, no nosso bairro, etc. Posso dizer honestamente que a maior parte do que ouço as pessoas dizerem é alguma coisa que está errada em algum lugar ou com alguém. É verdade que há muito mal no mundo de hoje, mas Deus ainda está trabalhando e Ele é maior que qualquer coisa ou qualquer pessoa. Vamos falar sobre todo o bem que pudermos e recontar e relembrar todas as coisas maravilhosas que Deus fez e está fazendo. Vamos exaltar a Deus em vez de engrandecer as obras da maldade que vemos ao nosso redor.

Palavras negativas não são nada atraentes para Deus, e na verdade Ele as detesta. Felizmente Deus nos ama incondicionalmente, mas realmente se entristece quando usamos o poder das palavras de uma maneira negativa. Ele sabe o dano que elas causam e quer que nós também saibamos disso.

Ao se referir aos incrédulos, o apóstolo Paulo disse que eles eram "cheios... de todo tipo de injustiça, iniquidade, avareza e malícia. [Eles eram] cheios de inveja e ciúmes, assassinato, contenda, engano e traição, hostilidade e caminhos cruéis. [Eles eram] difamadores e fofoqueiros secretos" (Romanos 1:29). Se essas são as características dos incrédulos, então nós, que nos consideramos crentes em Deus e Seus filhos, certamente não devemos exibir essas características. Também acho interessante o fato de Paulo colocar a fofoca na mesma lista em que estão o assassinato e o engano. Creio que isso deveria nos despertar e nos ajudar a entender o quanto esses pecados são graves.

Mulheres, Cuidado

Se você não escreveria nem assinaria embaixo, não diga.
— Earl Wilson

Algumas vezes a Bíblia fala diretamente às mulheres, dizendo-lhes para não fofocarem.

> Da mesma sorte, quanto a mulheres, é necessário que sejam elas dignas de respeito e sérias, não fofoqueiras, mas temperantes e cheias de domínio próprio, [completamente] confiáveis em tudo.
> — 1 Timóteo 3:11

As mulheres devem não apenas evitar as fofocas, mas também ser confiáveis. E isso significa que precisamos guardar os segredos das pessoas. É claro que a mesma coisa se aplica aos homens, mas esse versículo fala especificamente sobre as mulheres. As mulheres têm maior probabilidade de caírem nas garras desses tipos de "pecados da língua" que os homens. Sinceramente não consigo imaginar Dave saindo para jogar golfe e ele e seus companheiros falando sobre algumas das coisas que ouço as mulheres falarem. No que se refere a guardar segredos, Dave é muito melhor do que eu. Por exemplo, se planejamos fazer alguma coisa realmente especial para os nossos filhos no Natal, não consigo esperar para contar a eles, mas Dave diz: "Espere até o Natal", e não importa para ele se faltam onze meses até o Natal.

Provérbios fala sobre a mulher virtuosa:

> Atende ao bom andamento da sua casa e não come o pão da preguiça (da fofoca, do descontentamento e da autocomiseração).
> — Provérbios 31:27

O apóstolo Paulo enviou instruções a Timóteo sobre como lidar com as viúvas e sobre quem são as verdadeiras viúvas. Ele disse que as viúvas mais jovens não deveriam ser colocadas nas listas como alguém a quem a igreja deveria sustentar; elas poderiam ficar entediadas e perambular de casa em casa como preguiçosas e bisbilhoteiras, dizendo o que não deviam dizer e falando de coisas que não deveriam mencionar (ver 1 Timóteo 5:11-13). Acho interessante que Paulo ensine a manter as mulheres mais jovens ocupadas trabalhando ou criando famílias para que elas não fiquem entediadas e comecem a fofocar. Com respeito às mulheres mais velhas, espera-se que tenham adquirido sabedoria e saibam como usar seu tempo sabiamente fazendo boas obras pelos outros, mas quer seja jovem ou velha, ser alguém que faz fofoca é definitivamente um sintoma de imaturidade espiritual.

E Quanto aos Homens?

O apóstolo Paulo também escreve especificamente aos homens afirmando que um líder não deve ser um novo convertido, para que a sua mente não fique obscurecida pelo orgulho e ele caia em um estado mental absurdo, tendo-se em mais alta conta do que deveria. Paulo também mencionou que o novo convertido pode se envolver em difamação e cair na armadilha do diabo (ver 1 Timóteo 3:6-7). Vemos que a fofoca e a difamação são negócios do diabo, e quando permitimos que ele use a nossa boca para isso, caímos na sua armadilha. Também vemos que esse tipo de comportamento não é adequado a ninguém que esteja em qualquer posição de liderança.

Homens e mulheres que falam demais devem tomar cuidado para não se envolverem em fofocas, não espalharem rumores e guardarem os segredos das pessoas. Um fofoqueiro é um indivíduo muito perigoso. Parece que todos nós gostamos de contar um conto e geralmente aumentamos um ponto. Quando ele chega a uma dúzia de pessoas, pode se tornar um conto mau e impiedoso que é usado para destruir a vida e a reputação das pessoas.

Recentemente, li um artigo que quero compartilhar com você. Ele se chama "Sou Uma Fofoca", e é um lembrete poderoso das qualidades da fofoca.

Sou Uma Fofoca

Meu nome é fofoca.
Não tenho respeito pela justiça.
Mutilo sem matar. Parto corações e arruíno vidas.
Sou ardilosa, maliciosa e, com o tempo, ganho força.
Quanto mais sou citada, mais acreditam em mim.
Floresço em todos os níveis da sociedade.
Minhas vítimas são impotentes.
Elas não podem se proteger contra mim, porque não tenho nome nem rosto.
É impossível me rastrear. Quanto mais você tenta, mais evasiva me torno.

Não sou amiga de ninguém.
Quando mancho uma reputação, ela nunca mais será a mesma.
Faço cair governos e destruo casamentos. Arruíno carreiras e gero noites de insônia, sofrimento e aborrecimento.
Semeio a suspeita e o sofrimento de maneira geral.
Faço pessoas inocentes chorarem nos seus travesseiros. Até o meu nome assobia como as cobras.
Sou chamada de FOFOCA, fofoca no escritório, fofoca na loja, fofoca na festa, fofoca pelo telefone. Gero manchetes e dores de cabeça. LEMBRE-SE, quando você repetir uma história, pergunte a si mesmo: Isto é verdade? Isto é justo? Isto é necessário? Se não for, não o repita. FIQUE CALADO!

Às vezes o poder de não dizer nada é o maior poder de todos! Sir Winston Churchill disse: "Por engolir palavras más que não foram ditas, ninguém jamais fez mal ao seu estômago!"

Todos nós precisamos ser fortes para resistir às tentações do diabo de dizer coisas que são perniciosas e desnecessárias. Ele adora nos usar para fazer seu trabalho sujo, mas Deus quer nos usar para a Sua glória. Deus quer usar nossas palavras para encorajar, mas o diabo quer usá-las para desanimar, destruir reputações ou ferir outras pessoas. Muitas pessoas ficam com o coração partido por causa de palavras maldosas e inverídicas ditas a elas ou sobre elas.

Uma palavra especial de cautela aos pais: precisamos tomar cuidado como pais para não sermos duros demais com nossos filhos ou podemos feri-los profundamente. Isso significa que a criança simplesmente desiste e não encontra coragem para tentar fazer o que é certo. Se apontarmos erros demais nas pessoas e nunca as encorajarmos, elas logo ficam oprimidas e sentem que nunca conseguem nos agradar, independentemente do que façam. Não faça fofoca sobre os erros dos seus filhos para ninguém e, se possível, corrija-os em particular a fim de impedir que outros formem uma opinião crítica sobre eles. Se você tem filhos adultos, não repita para outro de seus filhos o que um deles fez que o desagradou. A fofoca dentro da família atiça a contenda, mas o amor *encobre* uma multidão de pecados.

Todas as vezes que preciso corrigir um funcionário, sempre digo à pessoa o que ela está fazendo e fez certo antes de dizer a ela o que está fazendo de errado. Alguns xaropes contêm açúcar, do contrário seria quase impossível engoli-los. As pessoas podem receber ou engolir as nossas correções muito melhor se elas forem cobertas com um pouco de açúcar. Faça o mesmo com seus filhos quando precisar corrigi-los. Não diga a eles o que estão fazendo de errado sem lhes dizer o que fazem certo!

A correção é necessária. Deus corrige e castiga aqueles a quem ama, mas Ele também os elogia, abençoa, recompensa e honra. Certifique-se de dar grande importância a tudo que seus filhos ou qualquer pessoa que esteja debaixo da sua autoridade faça bem, e eles amarão e confiarão em você o suficiente para receber de você a correção vinda da parte de Deus.

O Difamador

> Se a serpente morder antes de ser encantada, de nada adianta chamar um encantador [e o difamador não é melhor que a serpente não encantada].
>
> — Eclesiastes 10:11

Uau! Esse é um versículo forte, que me faz entender como é sério difamar outra pessoa. De acordo com o *Dicionário Bíblico Vine*, a palavra *difamador* é *diabolos* na língua grega. Essa mesma palavra grega é um dos nomes dados ao diabo, e significa "acusador, caluniador ou maledicente". Um difamador é alguém que tem propensão a apontar erros na conduta e no comportamento dos outros, e a espalhar insinuações e críticas.

Quando dizemos coisas difamatórias sobre as pessoas a outros, literalmente envenenamos o espírito delas e a atitude delas para com essas pessoas. A Bíblia diz que fazemos delas vítimas.

> As palavras do cochichador ou difamador são como doces bocados ou palavras por diversão [para alguns, mas para outros são como feridas mortais]; e elas descem às partes mais internas do corpo [ou da natureza da vítima].
>
> — Provérbios 26:22

O exame cuidadoso desse versículo nos ensina muito. Em primeiro lugar, o que é esporte ou diversão para uma pessoa pode ferir mortalmente outra. Podemos gostar de dar a nossa opinião negativa sobre as pessoas, mas elas tocam no fundo da alma da "vítima". A pessoa com quem estamos falando ou acredita no relato ou opta por não acreditar nele, mas ainda assim ela terá de resistir à suspeita que continua a se levantar em sua mente.

Há alguns dias vi alguém que conheci em uma reunião, e alguns segundos depois que perguntei como ele estava, ele me contou algo muito duro que havia ouvido acerca de alguém que ambos conhecíamos. Era um rumor, e a pessoa que estava me contando não tinha nenhuma prova e nenhuma razão para me contar a história. Ouvi por um minuto e então eu disse: "Não vou acreditar nisto a não ser que eu o saiba de fato". Entretanto, a suspeita continuou voltando ao meu pensamento algumas vezes e eu me vi perguntando: "Será possível que isso seja verdade?" A pessoa com quem eu estava falando é cristã há muito tempo e provavelmente sabia que era errado contar a história, mas contou mesmo assim. A fofoca é uma espécie de terrorismo verbal.

> Destruir o bom nome de alguém é cometer uma espécie de assassinato.
>
> Rabino Joseph Telushkin

Com que frequência dizemos alguma coisa a alguém e nunca mais pensamos sobre aquilo, mas envenenamos o mais íntimo daquela pessoa com nossas palavras venenosas? A difamação é um problema sério, e é hora de todos nós pararmos de permitir que o diabo use nossas bocas para isso. Esta é definitivamente uma área em que devemos aplicar o que é comumente chamado de A Regra de Ouro: "Faça aos outros o que você gostaria que fizessem a você". Se todos nós parássemos e perguntássemos a nós mesmos: "Eu iria querer que alguém dissesse isso a meu respeito?" antes de difamar alguém, provavelmente nós nos refrearíamos antes de falar mal dos outros.

Por que a pessoa com quem eu estava falando me disse aquilo mesmo eu suspeitando que ela sabia não ser a coisa certa? É porque o que o apóstolo Tiago disse é absolutamente verdade: "A língua é fogo. [A língua é um] mundo de maldade colocado entre nossos membros, contaminando e depravando todo o corpo e incendiando a roda do nascimento (o ciclo da natureza do homem), sendo ela própria acesa pelo inferno" (Tiago 3:6).

Precisamos nos lembrar de que usar nossas palavras de uma maneira destrutiva é uma das tentações mais fortes que enfrentamos, e não podemos domar a nossa língua sem confiar em Deus para nos convencer do pecado sempre que comecemos a dizer alguma coisa que não seja agradável a Ele. Deus fará a parte Dele, mas nós precisamos estar comprometidos em responder com obediência. Eu estava falando ao telefone com uma amiga certa manhã e ela me perguntou sobre uma situação com a qual estou lidando. Conversamos por alguns minutos e comecei a me sentir emocionalmente angustiada, então simplesmente disse a ela: "É melhor eu não falar sobre isso, porque tudo o que isso faz é me angustiar". Lidei com a situação da maneira adequada dessa vez, mas muitas vezes no passado eu teria continuado falando embora estivesse recebendo um lembrete amoroso do Espírito Santo para parar.

Jesus disse que devemos parar de nos permitir ficarmos angustiados e perturbados, e em vez disso desfrutar a paz que Ele nos deixou (ver João 14:27). Uma vez que a paz é a vontade Dele e a Bíblia ensina com firmeza a seguirmos a paz e permitir que ela seja um árbitro em nossas vidas, decidindo com determinação todas as coisas que precisam ser decididas, não foi tão difícil para mim entender que se estava me sentindo angustiada, eu precisava parar de falar. Por que continuar falando até ficar angustiada a ponto de passar o restante do dia me sentindo infeliz?

O que estávamos discutindo não era uma situação de difamação, mas estava fazendo com que minha paz fosse roubada e eu sabia que precisava parar de falar. Já passei por momentos em que eu estava falando sobre alguém e comecei a não me sentir em paz e soube que precisava parar. Uma das principais formas de Deus falar conosco é usando a Sua paz. Se temos paz, então o sinal está verde e podemos seguir em frente com os nossos atos. Mas se não estamos em paz, este é um sinal vermelho e significa PARE.

Difamar, fofocar, maldizer e apontar erros são pecados, e não devem ser vistos como pecados aceitáveis, como geralmente são. Esse tipo de palavras e conversas não é aceitável para Deus, e nos prejudicam espiritualmente, assim como aqueles com quem falamos.

Como Lidar com um Difamador

É importante sabermos como lidar com alguém que está difamando outra pessoa na nossa presença. O que você deve fazer se estiver com um amigo e ele começar a fofocar sobre alguém? Acredite se quiser, o conselho pode ser diferente dependendo de se você está com um crente ou com um incrédulo.

Se você está com uma pessoa incrédula que não tem conhecimento de que o seu comportamento é errado, você pode ter de esperar até encontrar uma boa maneira de sair da conversa sem ser óbvio demais. Certifique-se de não participar de nenhuma difamação e de também não concordar com ela, mas corrigir a pessoa poderia afastá-la e provavelmente fecharia a porta para qualquer oportunidade futura que você poderia ter de compartilhar a sua fé em Deus com ela. Outra coisa que podemos fazer em uma situação como essa é tentar gentilmente desviar a conversa para um lado mais positivo inserindo alguns bons comentários sobre a pessoa que está sendo difamada.

Se você está com um cristão que sabe o que é certo, então ficar sentado passivamente e não dizer nada é errado. Você poderia dizer algo do tipo: "Realmente não quero falar sobre isso", ou "Não acho que seja certo falarmos sobre isso", ou "Há dois lados em toda história e não sabemos o suficiente para formarmos uma opinião". Paulo ensinou que devemos corrigir os que estão dominados pelo pecado ou pela má conduta com cortesia, mantendo um olhar atento em nós mesmos para não cairmos em pecado também (ver Gálatas 6:1). Com frequência ficamos sentados sem fazer nada, usando a desculpa de que não queremos ferir os sentimentos de ninguém. Quando fazemos isso, não estamos ajudando as pessoas ou a nós mesmos. Você não ficaria parado assistindo um amigo roubar um banco, não é? É claro que não, então porque você fica parado enquanto um amigo difama alguém ou faz fofoca? É somente porque esses pecados se tornaram aceitáveis na sociedade, mas isso não faz com que sejam certos.

A Bíblia nos ensina que nos últimos dias, o mal aumentará. Ela diz que as pessoas serão amantes de si mesmas e totalmente egocêntricas. Elas serão orgulhosas, desrespeitosas, fanfarronas, ímpias, difamadoras (caluniadoras) e causadoras de problemas, sem moral, odiando o que é bom, etc. (ver 2 Timóteo 3:3).

Estamos no mundo e nem sempre podemos evitar estar perto de todas as pessoas que se envolvem em comportamentos como os que mencionamos, mas precisamos evitar nos unirmos a elas. Para ser um bom exemplo para os incrédulos ou até para os crentes que estão pecando, precisamos tomar cuidado para não fazer o que eles fazem. Não queremos dar a impressão de que achamos que somos melhores que eles, mas precisamos declinar amorosa, humilde e gentilmente a nossa participação em conversas e em outros comportamentos que sabemos que desagradam a Deus.

O apóstolo Paulo disse aos coríntios para não se associarem a um crente que fosse "culpado de imoralidade ou ganância" ou que fosse um "idólatra" ou "uma pessoa com língua suja [ofensiva, abusiva, injuriosa, difamadora]" (1 Coríntios 5:11). Parece-me, depois de estudar esse versículo da Bíblia, que eu poderia me associar mais facilmente (não intimamente) com um incrédulo que fizesse essas coisas do que com alguém que diz ser um cristão.

Creio que somos obrigados em amor a lembrar gentilmente os outros cristãos que eles não devem difamar as pessoas, e devemos orar por amigos que também cobrem de nós que sejamos responsáveis na nossa própria conduta. É constrangedor quando alguém diz: "Você não deveria falar assim", entretanto, isso geralmente põe um fim na situação, e espero que nos ensine uma lição.

Neste mesmo capítulo, Paulo disse aos coríntios para não se associarem de forma íntima e habitual com pessoas impuras. Ele disse, entretanto, que não podíamos evitá-las completamente; do contrário, teríamos de sair do mundo. Mas depois ele disse para não nos associarmos ou mesmo comermos uma refeição com alguém que afirmasse ser um cristão e que se entregasse a esses comportamentos imorais.

Ao mencionar esses versículos, estou provavelmente mexendo em um ninho de marimbondo, e quase posso ouvir as suas perguntas neste momento. Por exemplo: "Joyce, sou casada com um incrédulo e ele fofoca o tempo todo sobre todo mundo. Você está me dizendo para não me associar com ele?" Creio que a resposta a essa pergunta é que você use de sabedoria. Você não pode evitar as pessoas da sua família imediata, mas não precisa escolher ter um fofoqueiro como um amigo próximo. Você não precisa se sentar para almoçar todos os dias em uma mesa onde todas as pessoas estão difamando o chefe. Quando um amigo cristão difamar alguém você deve dizer a ele que não quer ouvir isso ou que não acreditará nisso sem provas. Não comeríamos veneno se ele nos fosse oferecido, então por que devemos nos envolver em alguma coisa que Deus nos diz especificamente que envenenará o mais íntimo do nosso ser?

Vamos escolher falar palavras de vida e não de morte. Nenhum de nós deveria ser culpado por deixar o diabo usar nossa boca para prejudicar ou destruir a reputação de outra pessoa. Se depois de ler este capítulo você perceber que talvez tenha estado trabalhando para o diabo emprestando a ele a sua boca, então lhe apresente sua carta de demissão hoje e nunca mais volte a trabalhar para ele.

CAPÍTULO 17

Você Realmente Precisa Dar a Sua Opinião?

Nos capítulos anteriores, expusemos um problema com o qual todos nós lidamos de uma forma ou de outra. Ou somos culpados por fazer fofoca, apontar erros, difamar e maldizer, ou lidamos com pessoas que o são. Sabemos que o diabo é a causa de todos esses pecados, mas o nosso desejo de dar a nossa opinião também está envolvido. Por que é tão importante dizermos às pessoas o que pensamos?

Dar a nossa opinião quando ninguém a está pedindo é uma grande fonte de problemas nos relacionamentos, e também a causa de muitos dos "pecados da língua" que estamos abordando aqui.

Temos opiniões sobre o que as pessoas devem usar, com quem elas devem ou não devem se casar, que tipo de casa elas devem comprar, o carro que devem dirigir, o penteado delas e até a maneira como investem o seu dinheiro. Movidos pelo nosso orgulho, tendemos a pensar que todas as pessoas deveriam fazer o que nós estamos fazendo ou faríamos. Quando não o fazem, isso nos leva a julgá-las, a ser críticos, a fazer fofoca e possivelmente difamá-las. Pense nisso: todos esses enormes problemas vieram de um desejo desordenado de dar a nossa opinião.

Cuide da Sua Vida

Que seja a ambição de vocês e que se esforcem definitivamente para viver tranquila e pacificamente, para cuidar de suas próprias vidas e para trabalhar com as suas mãos, como nós lhes aconselhamos.
— 1 Tessalonicenses 4:11

Uma reflexão sincera a respeito desse versículo revela várias coisas. Em primeiro lugar, viver pacificamente deve ser a nossa ambição, e teremos de nos esforçar para isso. Quando o escritor de Tessalonicenses diz que precisamos "nos esforçar definitivamente" para viver de modo tranquilo e pacífico, ele está dizendo que isso precisará ser um objetivo a ser buscado com zelo. Também precisamos estar dispostos a fazer as mudanças necessárias a fim de atingir esse objetivo. Em segundo lugar, se quisermos atingir o objetivo de ter paz, precisaremos aprender a cuidar da nossa própria vida e nos entregarmos ao trabalho para o qual fomos chamados a fazer. Se você é uma pessoa que dá opiniões gratuitamente, mas está pronto para mudar, então o primeiro passo para a mudança é admitir que isso é um problema em sua vida e pedir a Deus para ajudá-lo a mudar.

Minha família inteira é composta de pessoas de opiniões fortes, inclusive eu, de modo que sei em primeira mão como é desafiador cuidar da minha própria vida. Já progredi muito, mas ainda tenho de me disciplinar para ficar quieta com relação às minhas próprias opiniões quando sou tentada a me envolver em uma situação que na verdade não é da minha conta. Todos nós temos motivos suficientes para nos preocuparmos, sem precisarmos nos envolver na vida dos outros sem sermos convidados. A Palavra de Deus nos diz para "não descobrirmos nem revelarmos o segredo de outrem" (Provérbios 25:9). Somos curiosos e muitas vezes bastante intrometidos e nos sentimos tentados a nos envolver nos assuntos dos outros. Nós simplesmente gostamos de saber ou de pensar que sabemos o que está acontecendo em toda parte, e isso acaba roubando a nossa paz. Você já passou pela experiência de ficar cavando para encontrar algo, e depois desejou não ter feito isso? Eu certamente já fiz isso. Embora Deus queira que tenhamos conhecimento, o tipo de conhecimento que Ele quer que tenhamos é o tipo certo. No que se refere a descobrir os segredos de outros, podemos aplicar o ditado "O que não sabemos não pode nos ferir". Passei a entender que posso evitar muitos dramas em minha vida ficando fora de coisas que não me dizem respeito. Platão disse: "Os homens sábios falam porque têm algo a dizer; os tolos falam porque têm de dizer algo".

Gosto de saber o "porquê" das coisas, portanto vamos refletir sobre a razão de sermos tão cheios de opiniões. Acho que dar a nossa opinião sobre as coisas faz com que nos sintamos superiores ou importantes, mas se formos sinceros, também admitiremos que essa é a causa de muitas discussões. Talvez, se passarmos a conhecer o nosso valor em Cristo de forma mais profunda, não iremos procurar nos sentir importantes de uma maneira que não agrada a Deus. Um homem ou mulher sábia ouve mais do que fala. Como eu já disse, Deus nos deu dois ouvidos e uma boca, como uma indicação forte de que devemos ouvir mais do que falar. Quando falamos o tempo todo, raramente ouvimos o que os outros estão dizendo, porque enquanto eles estão falando, estamos ocupados elaborando em nossa mente o que diremos quando eles pararem de falar. O desejo desenfreado de dizer aos outros o que pensamos e de dar nossa opinião o tempo todo é certamente uma maneira de reconhecer as inseguranças em nós e nos outros.

Uma pessoa segura sabe em que acredita, mas não tem necessidade de dizer isso aos outros a não ser que alguém esteja realmente interessado. Se alguém pede a opinião dela e ela vê que sua opinião encontra resistência, ela não precisa "convencer" as pessoas de que está certa.

Nos meus anos de juventude, eu era muito insegura e me sentia péssima quando as pessoas não concordavam comigo. Achava a comunicação com meu marido quase impossível e realmente não entendia o motivo. Então Deus me revelou que quando Dave não concordava comigo, eu me sentia rejeitada e precisava entender que ele era livre para ter as suas próprias opiniões sem ter de concordar comigo para fazer com que eu me sentisse bem comigo mesma. Quando ele não concordava comigo, eu tentava convencê-lo repetidamente de que minha opinião estava correta, e ele acabava se sentindo manipulado e controlado. Lembro-me de uma vez ter dito: "Precisamos conversar sobre isso", e ele disse: "Joyce, nós não conversamos. Você fala e quer que eu ouça, e concorde com tudo o que você diz". O que ele disse me magoou, mas era verdade. A verdade sobre nós mesmos geralmente nos fere, mas encará-la é o único caminho para a liberdade.

Eu valorizava a minha própria opinião mais do que a de qualquer pessoa, e eu não ouvia com a mente aberta o que os outros tinham a dizer. A verdade era que eu não sabia absolutamente nada sobre as coisas que realmente importam na vida porque eu não estudava a Palavra de Deus. Eu frequentava a igreja, mas não conhecia Deus ou o Seu caráter intimamente. O primeiro sinal de que estamos nos tornando sábios é passarmos a saber que não sabemos absolutamente nada, e humildemente pedirmos a Deus para começar a nos ensinar.

Quero acrescentar que durante aqueles anos tendo uma opinião excessivamente forte e uma insegurança profundamente arraigada, eu não tinha paz. Minha vida parecia uma sequência interminável de frustrações! Foi somente depois que comecei a almejar e a buscar a paz que percebi que uma das causas da minha falta de paz era o fato de eu me envolver em assuntos alheios. Faça um favor a si mesmo e cuide da sua própria vida porque isso lhe trará mais paz, e quanto mais paz você tem, mais alegre se sente. Ter paz deve ser mais importante para nós do que qualquer coisa, e devemos estar dispostos a fazer o que for preciso para tê-la, inclusive guardar nossas opiniões para nós mesmos e cuidar da nossa própria vida!

Deixando Seus Filhos Crescerem

Uma das áreas mais difíceis quando o assunto é cuidarmos da nossa própria vida é nossa relação com filhos adultos. Estamos tão acostumados a dizer-lhes o que fazer quando eles são pequenos e moram em nossa casa, que precisamos fazer uma transição consciente e deixar que eles vivam suas próprias vidas sem a nossa interferência. Dave e eu temos quatro filhos adultos, e passamos muito tempo com eles, de modo que tenho muitas oportunidades de praticar o hábito de cuidar da minha própria vida. Algumas vezes me saio melhor do que em outras, mas felizmente ainda estou aprendendo e crescendo o tempo todo.

Recentemente, uma de nossas filhas e seu marido compraram uma casa nova, e nós nos oferecemos para ajudá-los com o custo dos móveis que eles precisariam comprar. Amo me envolver com decoração e fiquei empolgada por participar do projeto. Supus que ela iria querer decorar sua casa como a minha ou algo próximo a isso, mas ela escolheu um estilo

VOCÊ REALMENTE PRECISA DAR A SUA OPINIÃO?

totalmente moderno. A essa altura, minhas opiniões começaram a sair de minha boca e observei rapidamente que elas não iam promover a paz. Depois de alguns *rounds* tentando fazer com que ela gostasse do que eu gostava, lembrei a mim mesma que a maneira como ela decorava sua casa não me dizia respeito! Uma vez que estávamos ajudando financeiramente no projeto, tive de lembrar a mim em alguns momentos de cuidar da minha própria vida! Tive de lembrar a mim mesma que quando damos alguma coisa, devemos fazê-lo sem condições, caso contrário não é um presente de verdade, mas um método de controle encoberto. Eu sabia dessas coisas e as ensino a outros, mas por mais que tenhamos aprendido, elas serão testadas de tempos em tempos.

Ela de fato pediu a minha opinião a respeito de muitas coisas da decoração, mas também perguntou a algumas outras pessoas da família, e rapidamente ficou óbvio que meus outros filhos podiam ajudá-la mais do que eu. O gosto deles era mais semelhante ao dela, e isso tornou as coisas mais fáceis para mim, para que eu pudesse alegremente pagar a conta e abençoá-la sem esperar nada em troca, e sem precisar dar a minha opinião inutilmente.

Houve diversas áreas em que ela recebeu bem e aceitou o meu conselho, mas em muitas isso não aconteceu, e o ponto que quero provar é que ela tinha todo o direito de fazer isso. Quando realmente amamos as pessoas, nós as deixamos livres para serem elas mesmas e até aprendemos a admirar o que elas gostam como um elogio ao seu bom gosto. Ela não decorou a casa como eu teria decorado, mas fez um trabalho incrível e sua casa é adorável. O fato de sermos diferentes uns dos outros é o que torna a vida interessante, então por que combatemos isso tão furiosamente? Só pode ser por causa do orgulho!

Crescemos muito nos nossos relacionamentos familiares e chegamos a um acordo de que se dermos uma opinião e ela for rejeitada, tudo bem. Todos nós temos o direito de viver nossas próprias vidas. Também temos limites, e isso é muito importante. Ter limites significa que algumas áreas não estão sequer abertas à opinião dos outros, e que respeitamos os limites uns dos outros. Alguns de nossos filhos pedem conselhos mais do que outros, e quando fazem isso, nós os aconselhamos e ficamos entusiasmados por eles o pedirem, mas mesmo assim, nem sempre eles aceitam nosso conselho e aprendemos a não tentar "convencê-los" de que estamos certos.

Se você quer ter um relacionamento saudável com seus filhos adultos, precisa aprender a respeitar o direito deles de governar suas próprias vidas, e embora o seu desejo sincero possa ser "ajudá-los", você ainda assim não pode se intrometer na vida deles. Essa é uma das principais maneiras de deixarmos nossos filhos crescerem. Eles precisam fazer suas próprias escolhas e às vezes isso significa cometerem seus próprios erros. Não há melhor professor que os erros que cometemos e com os quais temos de conviver por algum tempo.

Ande em sabedoria e só dê a sua opinião quando alguém a pedir e, então, faça isso com humildade.

O Tempo Certo

Existe uma hora certa para dar a sua opinião? A resposta é "sim". Nossas opiniões são muitas vezes bem-vindas e podem verdadeiramente ajudar os outros, então há o momento em que você deve dar sua opinião. Como eu disse, dê a sua opinião com humildade e não tente convencer a outra pessoa de que você está certo. Outro momento no qual devemos falar é quando você sabe sinceramente que a pessoa está prestes a se meter em problemas e seu único desejo é ajudá-la a evitar isso.

Digamos que eu tenha percebido que um funcionário do sexo masculino que é casado está prestando atenção demais em outra mulher. Orei sobre isso e creio que Deus quer que eu fale com ele. Devo procurá-lo com uma atitude de humildade, mantendo o olhar atento em mim também (ver Gálatas 6:1), e conscientizá-lo de como as suas atitudes podem parecer aos olhos dos outros, e, se ele continuar com elas, elas poderão levar todos os envolvidos a ter problemas. Lembro-me de um momento como este, em que a pessoa com quem falei ficou muito agradecida e não havia se dado conta de que estava sendo levada lentamente para uma situação que teria terminado mal. Ele imediatamente fez algumas mudanças e ficou grato pelo conselho. Estive envolvida em outros casos similares em que as pessoas que foram confrontadas deram uma desculpa após a outra, ficaram muito na defensiva e se sentiram ofendidas, acabando por destruir suas vidas.

Era minha responsabilidade falar com elas sobre seu comportamento, mas nesses casos, eu não estava simplesmente dando a minha opinião, mas compartilhando a sabedoria de Deus.

Uma palavra dita no momento certo pode ser uma das coisas mais preciosas do mundo, mas se dita fora da hora, pode ser muito destrutiva.

Quando a sua opinião é meramente "a sua opinião", ela não é muito valiosa, mas se ela se baseia na sabedoria de Deus, torna-se algo completamente diferente.

Fique Dentro da Sua Esfera de Influência

As pessoas costumam pedir meu conselho por causa da posição de influência que Deus me deu. Todos nós temos uma esfera de influência, uma área sobre a qual Deus nos deu certa autoridade. Tenho autoridade sobre coisas relacionadas ao Ministério Joyce Meyer, mas Deus me ensinou que não sou a patroa em casa. Posso ser procurada em busca de conselhos e minha opinião pode ser solicitada no trabalho, mas em casa sou a esposa de Dave, e nessa esfera ele ocupa a posição principal de autoridade e deve ser tratado com respeito e admiração. Não preciso dar a minha opinião sobre cada movimento dele porque isso faz com que ele sinta que não confio nele nem valorizo a sua capacidade de líder da nossa família.

Mesmo no escritório existem áreas pelas quais sou responsável e áreas pelas quais Dave é responsável. Por exemplo, ele sempre cuidou do ministério de finanças e toma as decisões finais com relação ao nosso ministério no rádio e na televisão. Sou responsável pelas coisas que escrevo, pelo ensino, pela pregação e por certas áreas de liderança no escritório. Ambos sabemos qual é a nossa esfera de influência e mostramos respeito um pelo outro nessas diferentes áreas.

Você pode ter uma posição de autoridade no trabalho, mas não tente levar essa autoridade para uma esfera sobre a qual Deus não lhe deu autoridade. Devemos saber como assumir a autoridade quando é adequado e como aceitar a autoridade de outros quando isso for o adequado. Se uma pessoa só sabe como mandar nos outros, ela na verdade é imatura e muito orgulhosa.

Você tem autoridade sobre seus filhos, mas não tem uma esfera de influência sobre os filhos dos outros; portanto, a sua opinião sobre como eles criam seus filhos não é necessária, e geralmente não é bem-vinda. Temos autoridade sobre nossas próprias finanças, mas não precisamos dar a nossa opinião com relação à maneira como as outras pessoas administram as finanças delas. As pessoas dão a opinião delas sobre as coisas que os outros compram, em geral afirmando acharem que as pessoas não tinham nada que comprar isso e aquilo ou não precisavam de um carro novo, uma casa nova ou de mais roupas. Enquanto julgamos a maneira de os outros gastarem o dinheiro deles, em geral estamos desperdiçando em áreas que não conseguimos ver por causa do nosso orgulho.

Peça a Deus para ajudá-lo a permanecer dentro da sua esfera de influência e não vá além dos limites que Deus lhe deu, principalmente quando você não for convidado.

Aumente a Sua Paz

Cada um de nós pode aumentar a nossa paz simplesmente cuidando da nossa própria vida e não dando a nossa opinião quando ela não for requisitada. Não temos a capacidade de mudar as outras pessoas. Só Deus pode trabalhar dentro do coração de um indivíduo e fazer mudanças que são verdadeiras e duradouras. A melhor política é orar quando achamos haver alguma coisa em outra pessoa que precisa de mudança, mas devemos orar com toda humildade, lembrando a Deus que estamos conscientes de que temos muitas áreas em nossas próprias vidas que também precisam mudar. É fácil vermos o que está errado com as outras pessoas, mas muito difícil encarar as nossas próprias falhas.

Tentei mudar Dave por muitos anos e não fiz progresso algum. Ele se sentiu pressionado para ser o que eu achava que ele devia ser, e isso estava prejudicando o nosso relacionamento. Foi um grande dia quando Deus quebrou o meu orgulho obstinado e me mostrou que eu tinha áreas mais do que suficientes em minha própria vida para trabalhar e não precisava estar trabalhando na vida de ninguém mais. Podemos cooperar com o Espírito Santo e deixar que Ele faça mudanças maravilhosas em nós, mas como eu disse, não podemos mudar as outras pessoas, então por que perder o nosso tempo tentando? Isso só nos frustra, rouba a nossa paz, e faz com que a pessoa que estamos tentando mudar se sinta rejeitada e não amada. Uma oração sincera e profunda pode fazer mais do que nós poderíamos fazer em toda uma vida com nossa própria força.

Todas as vezes que começar a dizer: "Acho que..." pare e pergunte a si mesmo se você realmente precisa dizer o que está prestes a dizer. Descobri que se fizer isso, muito do que eu pretendia dizer nunca será dito.

CAPÍTULO 18

Diga Algo Bom ou Simplesmente Não Diga Nada

Este seria um mundo maravilhoso para se viver se todos nós seguíssemos a regra de dizer algo bom ou simplesmente não dizer nada. Imagine como nossas casas, nossas escolas, nossos empregos, nossa igreja e nossa sociedade seriam agradáveis de um modo geral. Acho que isso seria equivalente a termos a atmosfera do céu na terra. Estou certa de que ninguém no céu fala uma única palavra negativa ou indelicada! As palavras são receptáculos de poder e afetam a atmosfera em que vivemos. Se uma casa está cheia de ira, amargura, palavras duras e críticas, a atmosfera fica pesada e opressiva. Ela fica sobrecarregada de contenda e de toda obra maligna. Se um escritório está cheio de fofoca, ingratidão e descontentamento, isso pode ser sentido. As pessoas que não têm conhecimento da Palavra de Deus podem não saber o que estão sentindo, mas passam a ter pavor de entrar na atmosfera do lugar porque isso as deprime e desanima. Elas podem até ser parte do problema, mas não percebem como suas palavras as afetam e afetam a todos os que as cercam.

Esta história ajudará a provar o que quero dizer:

Escravos das Nossas Palavras

Certa vez um velho homem espalhou rumores de que seu vizinho mais jovem era um ladrão. O resultado foi que o jovem foi preso. Dias depois o jovem foi julgado inocente. Depois de ser liberto, ele processou o velho homem por acusá-lo injustamente. No tribunal, o ancião disse ao juiz: "Foram apenas comentários; eu não pretendia fazer mal a ninguém com eles". O juiz, antes de decretar a sentença para o caso, disse ao ancião: "Escreva todas as coisas que você disse sobre ele em um pedaço de papel. Pique-o, e quando estiver a caminho de casa, jogue os pedaços de papel fora. Amanhã, volte para ouvir a sentença".

No dia seguinte, o juiz disse ao homem: "Antes de receber a sentença, você terá de sair e recolher todos os pedaços de papel que jogou fora ontem!"

O velho homem disse: "Não posso fazer isso! O vento espalhou todos eles e não saberei onde encontrá-los!"

O juiz então respondeu: "Do mesmo modo, simples comentários podem destruir a honra de um homem a ponto de ser algo irreparável. Se não pode falar bem de alguém, então não diga nada".

Sejamos senhores da nossa boca, para que não sejamos escravos das nossas palavras!

Há uma regra simples que podemos seguir para nos guiar durante nossas conversas: se for bom, edificante, saudável e agradável, diga tudo o que quiser, mas se for mau, negativo, crítico ou uma reclamação, não diga nada. Peça a Deus para transformar o seu coração para que não haja sequer um vestígio de desejo de dizer essas coisas. O que está no nosso coração acabará por sair de nossa boca, de modo que não podemos mudar o que dizemos a não ser que mudemos o que pensamos.

Se nossas palavras estão em concordância com as de Deus, teremos o que Deus diz que podemos ter, e nos tornaremos o que Ele diz que podemos ser. O que você anda dizendo? Você está colhendo o fruto das suas próprias palavras? Você quer ver mudanças positivas em sua vida e circunstâncias? Só um tolo pensa que pode continuar fazendo a mesma coisa e ter um resultado diferente, de modo que se você não gosta da sua colheita atual, mude sua semente. A semente má (palavras) é igual a uma colheita má, e a boa semente (palavras) é igual a uma boa colheita. Quanto mais coisas boas você disser, mais coisas boas verá florescer em sua vida. A palavra *bom* significa "ser desejado ou aprovado, agradável e bem-vindo". O desafio de nunca dizer nada pelo resto da minha vida a não ser o que seja bom parece um pouco radical, mas parece que tenho mais fé se eu pensar que estou fazendo isso um dia de cada vez. Você quer assumir o compromisso de hoje não dizer nada a não ser que seja algo bom? Quando cometer erros, não desista, mas peça perdão a Deus e siga em frente. Assuma esse mesmo compromisso todos os dias.

> Até o tolo, quando se cala, é reputado por sábio; e o que cerra os seus lábios é tido por entendido.
>
> — Provérbios 17:28

Assumir o compromisso de só dizer coisas boas não significa que não seremos mais tentados. Posso lhe garantir que Satanás irá tentá-lo ainda mais. Ele conhece o poder das palavras, e o próprio pensamento de você melhorar as suas é assustador para ele. Ele só tem sobre nós o controle que nós lhe damos com as nossas palavras. Se nos disciplinarmos para pararmos de falar coisas más e negativas, fechamos a porta da oportunidade que foi aberta anteriormente para Satanás; ele sempre nos tentará a fazer e dizer o que é errado, mas podemos resistir. Diga o que Deus diz, e você descobrirá que nenhuma arma forjada contra você prosperará.

Encarando a Verdade

Mencionei diversas vezes neste livro a importância de encarar a verdade porque essa é a única maneira de progredir. Não quero que ninguém meramente leia este livro e goste dele, mas quero que ele traga benefícios que transformem vidas. Peça a Deus para ajudá-lo a fazer uma avaliação honesta dos tipos de palavras que disse no passado. Examinar como estamos nos ajudará a chegar onde queremos. Quando analisei honestamente as coisas que havia falado no passado, não fiquei nada satisfeita comigo mesma. Lamentei a maneira como havia desperdiçado minhas palavras e pedi perdão a Deus. Eu sabia que Deus me amava incondicionalmente, mas também creio que Ele sofria com o dano que eu estava causando à minha própria vida por falar palavras negativas. Quando buscamos a fonte dos nossos problemas, em geral descobrimos que ela está bem debaixo do nosso nariz, na nossa boca. Você pode mudar sua vida mudando as suas palavras.

Quanto mais você disser coisas boas, mais terá pavor de estar com alguém que raramente tem algo de bom a dizer. Comece a ouvir genuinamente a si mesmo e as outras pessoas falando e você perceberá rapidamente que um dos maiores problemas do mundo é o uso errado das palavras. Mas a boa notícia é que podemos transformar as coisas para o bem começando a dizer somente o que é bom.

O Coração Feliz é Bom Remédio

> O coração feliz é bom remédio, e a mente alegre traz cura, mas o espírito abatido seca até os ossos.
> — Provérbios 17:22

Imagine como você seria mais feliz se pudesse estar em uma atmosfera onde só fossem ditas coisas boas. Nada de reclamação, mas em vez disso, palavras de gratidão ditas regularmente, e nenhuma fofoca fútil, nem palavras de julgamento ou críticas. Nenhuma palavra negativa e sem esperança, mas palavras de esperança, fé e cheias de boas expectativas. Deus é um grande fã do que é "bom"! Ele é bom, toda a Sua criação foi declarada como sendo boa. Ele promete nos fazer o bem todos os dias das nossas vidas, Ele coopera para o bem de toda situação que lhe entregamos. Jesus é chamado de o "Bom Pastor". Com certeza Ele quer que digamos algo bom ou que simplesmente não digamos nada.

Podemos nos tornar imediatamente mais felizes dizendo as coisas certas. Quanto mais reflito sobre isso, mais fico impressionada por poder tornar a mim mesma e aos outros mais felizes ou menos felizes, simplesmente escolhendo dizer coisas boas. Faça um favor a si mesmo e diga algo bom!

A alegria é vital! Neemias nos diz que a nossa alegria é a nossa força. Não é de admirar que o diabo trabalhe fazendo hora extra na tentativa de fazer qualquer coisa que possa para roubar nossa alegria e nos deixar tristes, deprimidos, desanimados e cheios de desesperança. Não fique sentado deixando isso acontecer com você. Combata o bom combate da fé com palavras cheias de fé que liberem alegria na atmosfera onde você se encontra.

A mensagem do Evangelho é mencionada na Bíblia como as Boas-novas! Jesus veio para trazer Boas-novas e boas notícias contendo grande alegria. Não há nada triste em Jesus. Ele veio para destruir as obras do maligno, para vencer o mal com o bem. Se Jesus tivesse vindo à terra e falado apenas sobre as circunstâncias ao redor Dele e sobre o quanto elas eram ruins, e sobre todas as pessoas más e como eram eram ruins, sobre como o governo era mau, etc., ainda estaríamos sem esperança e perdidos no nosso pecado. Mas Jesus veio pregando as Boas-novas, a bondade de Deus e o fruto da bondade. Ele quer que sejamos tão comprometidos quanto Ele foi em encontrar e exaltar o bem em tudo.

Qualquer Coisa Boa Me Faz Feliz

Deus é o autor de todo o bem, e a própria ideia de qualquer coisa "boa" aumenta a minha alegria. Amo fazer coisas boas pelas pessoas e gosto quando as pessoas fazem coisas boas para mim. Amo ouvir bons relatos e testemunhos, e amo quando as pessoas me dizem algo bom que elas ouviram alguém dizer a meu respeito. Estou certa de que isso também deixa você feliz. Por outro lado, pense em como você se sente quando ouve que alguém disse algo ruim a seu respeito. As coisas ruins fazem com que nos sintamos mal, e as coisas boas fazem com que nos sintamos bem, então, por que você não se compromete em fazer e dizer todo o bem que puder?

Amo coisas que cheiram bem, qualquer coisa que é boa e bela de se olhar, e amo o Bom Pastor! Amo as Boas-novas do Evangelho! Amo o tempo bom, ensolarado, os dias bons, as boas festas e os bons filmes e as roupas bonitas! Acho que devo admitir que sou simplesmente viciada no que é bom!

> Cuidem para que nenhum de vocês pague o mal com o mal, mas sempre *busquem* demonstrar gentileza e *procurem* fazer o bem uns aos outros e a todos.
> — 1 Tessalonicenses 5:15 (grifo do autor)

Quero enfatizar as palavras *busquem* e *procurem*, a fim de chamar atenção para o fato de que fazer o bem é possível somente quando procuramos ativamente fazê-lo. Faça com que seu objetivo na vida seja fazer o bem, ser bom e falar coisas boas. Se fizer isso, você pode esperar ter mais alegria do que jamais experimentou.

Deus é Bom

Duvido que eu tenha de convencer você de que Deus é bom, mas caso você possa ter alguma dúvida, veja apenas uma amostra do que a Bíblia diz sobre Ele.

> Oh, provai, e vede que o Senhor [o nosso Deus] é bom! Bem-aventurado (feliz, afortunado, digno de ser invejado) é o homem que Nele confia e Nele se refugia.
> — Salmos 34:8

> Pois tu, Senhor, és bom, e pronto a perdoar [as nossas transgressões, levando-as para longe, eliminando-as completamente e para sempre].
> — Salmos 86:5

> Oh deem graças ao Senhor, porque Ele é bom; porque a Sua misericórdia e a Sua benignidade duram para sempre.
> — Salmos 136:1

> Quão grande é a bondade de Deus, e quão grande é a Sua formosura!
> — Zacarias 9:17

Se você sente que não experimentou a bondade de Deus, não o culpe por isso. Pergunte a si mesmo se têm dito palavras pesadas e duras contra Ele. No livro de Malaquias, Deus disse ao povo para dar o dízimo e trazer ofertas de toda a sua renda e que Ele abriria as janelas do céu e derramaria bênçãos tão grandes que eles não poderiam contê-las. Entretanto, o povo não apenas escolheu não fazer o que Deus os havia instruído a fazer quanto às suas ofertas, como as palavras deles foram pesadas e duras contra Ele. Eis o que eles disseram:

> As vossas palavras foram duras para mim, diz o Senhor; mas vós dizeis: Que temos falado contra ti? Vós dizeis: Inútil é servir a Deus; que nos aproveitou termos cuidado em guardar os seus preceitos e em andar de luto diante do Senhor dos Exércitos?
> — Malaquias 3:13-14

Essas pessoas não haviam obedecido a Deus e depois elas o culparam, tolamente, pelo resultado. Disseram que de nada adianta servir a Deus. Algumas pessoas ainda dizem esse tipo de coisa quando não têm um resultado imediato da sua obediência. A fé e a paciência precisam trabalhar juntas. Enquanto você espera que as suas circunstâncias melhorem, as palavras que você diz têm importância vital. Não permita que suas palavras sejam fortes e duras contra Deus. Mesmo quando você não vir evidências disso, continue dizendo: "Deus é bom, Ele tem um bom plano para a minha vida, e algo bom vai acontecer comigo hoje!"

Se você foi convencido de que precisa definitivamente mudar o que diz, é de se esperar que leve tempo para que as boas palavras gerem uma boa colheita. Não faça o que é certo simplesmente para ter o resultado certo. Faça o que é certo porque é certo, e Deus cuidará da sua colheita exatamente na hora certa.

Lembre-se simplesmente de que o "Bom Livro" nos apresenta ao "Bom Pastor", que traz "Boas-novas" e nos apresenta à "Boa Vida" que Ele preparou de antemão para que vivêssemos. Ele quer que digamos coisas boas e que sejamos bons com todos! Esse princípio simples, porém profundo, pode transformar o mundo e o fará.

Se você não pode dizer algo bom, então simplesmente não diga nada.

CAPÍTULO
19

Palavras Gentis

A bondade constante pode realizar muito. Assim como o sol faz derreter o gelo, a bondade faz com que a incompreensão, a desconfiança e a hostilidade evaporem.

— Albert Schweitzer

A gentileza também é bondade, mansidão e humildade, e é uma demonstração de amor. O Espírito Santo se manifestou na forma de uma pomba branca, que é um pássaro muito delicado. O Espírito Santo é como a nossa querida mãe, sempre gentil e bondosa mesmo quando está castigando e corrigindo.

Dizem que a humildade é a principal virtude e muito provavelmente a virtude mais difícil de ser desenvolvida. Uma pessoa humilde é totalmente dependente de Deus para todas as coisas, e nunca se considera acima do que deveria. Ela não se considera superior a qualquer pessoa. Quando uma pessoa tem um coração e uma atitude humildes, isso sempre aparece na maneira como fala com as outras pessoas e sobre elas. Isso também fica evidente na maneira como ela fala sobre o seu próprio destino na vida.

A humildade nunca age como se tivesse direito a tudo, e considera cada pequena bênção imerecida um presente de Deus. Portanto, não reclama nem murmura contra sua vida. A humildade espera pacientemente que Deus mude as circunstâncias que Ele deseja, e confia que Ele dará a força necessária para suportar o que precisa ser suportado com uma boa disposição.

A Palavra de Deus afirma que a mulher virtuosa tem "a lei da bondade" na sua língua (Provérbios 31:26). Ela fala gentilmente com todos, e isso só acontece quando uma pessoa é mansa e humilde, vendo todos como igualmente importantes. Admito que por muitos anos não tive uma atitude humilde nem era delicada na maneira de falar com os outros e sobre os outros. O orgulho pode ser ouvido nas nossas palavras, e até no nosso tom de voz. O orgulho tem um tom de crítica em muito do que diz. Ele menospreza e rebaixa. O verdadeiro amor é bondoso e entende o poder da bondade. Madre Teresa disse: "As palavras gentis podem ser curtas e fáceis de dizer, mas seus ecos são intermináveis". Quando dizemos palavras de bondade ou fazemos atos de bondade, eles sempre voltam para nos abençoar. "O homem misericordioso, bom e generoso se beneficia [pois os seus atos voltam para abençoá-lo]", diz Provérbios 11:17.

As palavras de afirmação estão entre as palavras mais gentis que você pode pronunciar. John Trent conta a seguinte história sobre Mary, uma garotinha que era diferente de todos.

Mary havia crescido sabendo que era diferente das outras crianças, e detestava isso. Ela nasceu com uma fenda palatal e tinha de suportar as brincadeiras e olhares de crianças cruéis que mexiam com ela sem parar por causa de sua má formação nos lábios. Mary cresceu detestando o fato de ser "diferente". Estava convencida de que ninguém fora da sua família poderia amá-la — até ser aluna da Srta. Leonard.

A Srta. Leonard tinha um sorriso amoroso, um rosto redondo e cabelos castanhos brilhantes. Embora todos na turma gostassem dela, Mary passou a amar a Srta. Leonard. Nos anos 50, era comum os professores fazerem um teste oral anual com seus alunos. Entretanto, no caso de Mary, além de ter uma fenda palatal, ela mal conseguia ouvir de um ouvido. Determinada a não permitir que as outras crianças tivessem outra "diferença" para apontar, ela colava no teste todos os anos. O "teste do sussurro" era dado fazendo com que a criança andasse até à porta da sala, se virasse de lado, fechasse um ouvido com o dedo e depois repetisse algo que a professora sussurrasse. Mary voltou o seu ouvido surdo para a professora e fingiu tapar o ouvido bom. Ela sabia que geralmente os professores diziam coisas do tipo "O céu é azul" ou "Qual é a cor dos seus sapatos?" Mas não naquele dia. Sem dúvida Deus colocou sete palavras nos lábios da Srta. Leonard que mudaram a vida de Mary para sempre. Quando chegou a hora do "teste do sussurro", Mary ouviu estas palavras: "Eu gostaria que você fosse minha filha".

Se alguém lhe pagasse dez centavos por cada palavra gentil que você já falou e cobrasse de você cinco centavos por cada palavra dura que você já disse, você seria rico ou pobre?

A bondade gera lucros.

Um dia, Howard Kelly, um garoto pobre que vendia mercadorias de porta em porta para pagar seus estudos, descobriu que só lhe restava uma moeda de dez centavos, e ele estava com fome.

Decidiu pedir uma refeição na próxima casa. Entretanto, perdeu a coragem quando uma jovem adorável abriu a porta. Em vez de uma refeição ele pediu um pouco de água. Ela achou que ele parecia faminto então lhe trouxe um grande copo de leite. Ele o bebeu lentamente, e depois perguntou: "Quanto lhe devo?"

"Você não me deve nada", ela respondeu. "Mamãe sempre nos ensinou a nunca aceitar pagamento por um ato de gentileza". Ele disse: "Então agradeço de coração".

Quando Howard saiu daquela casa, ele não apenas se sentia mais forte fisicamente, como a sua fé em Deus e no homem era forte também. Ele estivera a ponto de desistir.

Anos depois, aquela jovem ficou gravemente doente. Os médicos locais estavam desnorteados. Eles por fim enviaram-na para a cidade grande, onde chamaram especialistas para estudar sua rara doença. O Dr. Howard Kelly foi chamado para a consulta. Quando ele ouviu o nome da cidade de onde ela vinha, uma estranha chama se acendeu em seus olhos.

Imediatamente ele se levantou e percorreu o corredor do hospital até o quarto dela. Ele a reconheceu imediatamente. Voltou à sala de consultas decidido a fazer o melhor para salvar sua vida. Daquele dia em diante, ele deu atenção especial ao caso.

Depois de muito esforço, a batalha foi vencida. O Dr. Kelly solicitou que o setor financeiro lhe passasse a conta final para aprovação. Ele olhou para ela, depois escreveu alguma coisa na margem e a conta foi enviada para o quarto dela. Ela estava com medo de abri-la, pois estava certa de que levaria o restante de sua vida para pagar tudo. Finalmente ela olhou, e alguma coisa chamou sua atenção, quando leu estas palavras escritas na conta: "Você não deve nada. A conta foi paga integralmente com um copo de leite". Assinado: Dr. Howard Kelly.

As palavras gentis dela, "Você não me deve nada", a um jovem necessitado voltaram para ela muitos anos depois da mesma maneira. Algumas palavras gentis e um ato aleatório de bondade transformaram a vida de um jovem, e voltaram para salvar a vida dela anos depois!

O Orgulho é Sempre Ciumento e Fala Asperamente

Davi foi ungido pelo profeta Samuel para ser o futuro rei de Israel, e seus irmãos ficaram com ciúmes. O orgulho é sempre ciumento, porque presume que merece o que os outros têm. Quando o gigante Golias estava zombando do exército de Israel e nenhum dos soldados tomou uma atitude contra ele, Davi foi ver a batalha por si mesmo. Ele ficou impressionado por ver que todos estavam passivos enquanto aquele filisteu incircunciso zombava e ridicularizava os exércitos do Deus vivo. Davi perguntou o que seria feito ao homem que derrotasse o gigante, e seu irmão Eliabe ficou furioso.

> Ouvindo-o Eliabe, seu irmão mais velho, falar àqueles homens, acendeu-se-lhe a ira contra Davi, e disse: "Por que desceste aqui? E a quem deixaste aquelas poucas ovelhas no deserto? Bem conheço a tua presunção e a tua maldade de coração; desceste apenas para ver a peleja".
>
> — 1 Samuel 17:28

A simples visão de Davi enfureceu Eliabe, e podemos ouvir claramente o seu orgulho em tudo o que ele diz a Davi. Observe que ele tentou diminuir Davi lembrando-lhe que tudo o que ele fazia era cuidar de algumas ovelhas no deserto, e quem ele pensava que era para estar entre "soldados importantes" e começar a questioná-los? Então Eliabe acusou Davi dos mesmos pecados que estavam em seu próprio coração (presunção e maldade). O orgulho geralmente acusa o outro das coisas de que ele é culpado, mas não consegue ver. As pessoas orgulhosas estão tão ocupadas julgando e criticando os outros que ficam cegas para a sua própria conduta errada.

Meu pai era um homem grosseiro, de coração duro e cruel. Ele sempre diminuía os outros e raramente dizia uma palavra gentil sobre alguém. Ele nunca era gentil. Por ser sempre tratada grosseiramente e por ouvir sempre palavras duras, eu me tornei grosseira na minha própria maneira de falar e no meu próprio comportamento. Achava essa característica muito difícil de superar, mas procurei ardentemente mudar isso.

Deixe que Jesus Seja o Seu Exemplo

> Tomem o Meu jugo sobre vocês e aprendam de Mim, porque sou gentil (manso) e humilde (modesto) de coração. Porque o Meu jugo é benéfico (útil, bom, não é duro, difícil, rígido ou impositivo, mas confortável, gracioso e agradável).
>
> — Mateus 11:29-30

Jesus nos convida a permanecermos próximos a Ele e aprendermos com Ele a lidar com cada situação na vida. Ele é gentil, manso e humilde, e não áspero, duro, rígido ou impositivo. É agradável se relacionar com Ele. E com você? As pessoas podem ficar à vontade perto de você ou elas se sentem tensas porque sabem que se fizerem alguma coisa que o desagrade ainda que levemente, terão de suportar palavras de crítica? Houve um tempo em minha vida em que eu criava esse tipo de atmosfera de inquietação na minha própria casa. Eu havia sido tratada de modo grosseiro, e o mesmo tratamento que eu desprezava era a maneira como tratava os outros. Fico muito feliz porque Deus é manso, perdoador, bondoso e misericordioso. A Sua mansidão me curou e está disponível a todos nós.

Está Tudo na Sua Mente

Enfrentar o orgulho e desenvolver a humildade é uma das coisas mais importantes em nossa vida porque afeta tudo que dizemos e fazemos. Para que as nossas palavras sejam gentis, precisamos ter um coração e uma atitude humildes, e isso só vem de uma mente humilde. Podemos pensar deliberadamente em coisas que nos ajudem a nos comportar de uma maneira que seja agradável a Deus. Chamo isso de "sessões para pensar". Dedique tempo para pensar assim: "Não sou superior a ninguém. Todas as minhas habilidades são dons de Deus e nada do que tenho está fora Dele. Somos todos iguais aos olhos de Deus, e escolho tratar cada pessoa que encontrar com o máximo respeito. Quando falo com as pessoas, faço isso com a máxima humildade e demonstro mansidão e gentileza em todo o tempo. A Lei da Bondade está na minha língua".

> Porque, pela graça (favor de Deus imerecido) que me foi dada, advirto a cada um entre vocês que não pensem de si mesmos além do que convém [não tenham uma opinião exagerada sobre a sua própria importância]; mas avaliem a sua habilidade com moderação, segundo a medida da fé que Deus repartiu a cada um.
> — Romanos 12:3

Tenha um encontro consigo mesmo diariamente, e quanto mais cedo for, melhor. Tenha uma conversa consigo mesmo, lembrando a si mesmo que você não é melhor que ninguém, que nem sempre está certo e que não tem autoridade para julgar e criticar outras pessoas. Só Deus é o juiz de todas as coisas. Planeje antecipadamente ser gentil com todos que você encontrar e ainda mais quando for uma pessoa maravilhosa que precisa desesperadamente de bondade e compreensão.

Aprenda a reconhecer o orgulho em si mesmo. Se você ouvir atentamente, ouvirá o orgulho sair nas suas palavras quando estiver no seu coração. Não permita que ele permaneça, mas seja revestido deliberadamente de humildade e faça o que você acredita que Jesus faria em cada situação.

A Bíblia diz que devemos nos revestir de humildade (ver 1 Pedro 5:5) creio que isso é algo que devemos fazer deliberadamente. Nunca coloco minhas roupas de manhã sem pensar o que quero vestir e como aquelas roupas ficarão em mim. Então eu as visto deliberadamente. Revestir-se de humildade funciona do mesmo modo. Pense nisso e pergunte: que tipo de atitude vai ficar bem em você? Quais virtudes espirituais Deus gostaria de ver você usar hoje? Será que Ele irá se agradar se estivermos vestidos de orgulho, arrogância, aspereza e dureza? Sabemos que não, então devemos nos esforçar com a ajuda Dele para desenvolver a virtude da humildade para que nossas palavras sejam gentis e bondosas.

Seja Firme e Direto

Quando falo sobre ser gentil e bondoso, isso não nega a necessidade de usar de firmeza ocasionalmente quando lidamos com certas pessoas. Há momentos em que precisamos ser firmes com nossos filhos e permitir que eles vejam o nosso descontentamento com o comportamento deles. Jesus com certeza era direto e firme quando falava com os fariseus e com os líderes religiosos do Seu tempo sobre suas atitudes críticas e destituídas de amor. Ele os chamou de raça de víboras, sepulcros caiados cheios de ossos de homens mortos (ver Mateus 3:7; 23:27). É muito difícil pensar que Ele tenha feito isso com uma voz doce e suave, mas o motivo do coração de Jesus ao corrigi-los ainda era bondoso e gentil, porque o desejo Dele era ajudá-los.

O amor às vezes precisa ser duro nas suas escolhas e decisões sobre como lidar com as pessoas. Por exemplo, em geral é mais difícil dizer "não" aos seus filhos, a quem você ama, do que seria dizer "sim". Mas você sabe que precisa dizer "não" para o próprio bem deles. Se persistirem no pedido deles, você terá de ser firme na sua decisão, e isso geralmente significa o uso de um tom de voz firme. Entretanto, ser firme não significa gritar com raiva, fazer acusações e relembrar verbalmente tudo o que eles já fizeram de errado. Seja direto: fique calmo, firme e decidido, mas tente não deixar as suas emoções governarem. Quando nos deixamos levar pelas nossas emoções, costumamos perder o respeito da pessoa com quem estamos tentando lidar.

Digo isso por experiência própria porque eu fazia tudo errado, principalmente com meu filho mais velho. Quando se tornou um adulto, ele me disse como as minhas palavras faziam-no se sentir e não foi nada do que eu pudesse me orgulhar. Eu gritava e ameaçava punições terríveis do tipo "Você não vai sair desta casa por três meses", e depois não cumpria. Eu me guiava pelas emoções e falava com base nessas emoções e não com sabedoria. Dave, por outro lado, permanecia calmo e firme. Ele explicava o que nosso filho havia feito de errado, em geral dizia a ele o que a Palavra de Deus falava sobre o seu comportamento e depois lhe dizia o que aconteceria se ele não mudasse. Seja qual fosse a punição que Dave desse era uma promessa, e nosso filho sabia disso. Comigo, ele sabia que a maior parte do que eu dizia mudaria quando eu me acalmasse então ele absolutamente não prestava atenção em mim.

Ministre Vida aos Outros

> A língua serena [com seu poder curador] é árvore de vida, mas o antagonismo deliberado nela quebranta o espírito.
> — Provérbios 15:4

Creio que todos nós devemos nos perguntar como as pessoas se sentem depois que saem da nossa presença. Elas sentem vida ou morte? O poder de ambas está na língua e uma língua serena é uma árvore de vida. A serenidade pode ser demonstrada tanto em palavras quanto no tom de voz. Poderíamos dizer as palavras certas, todavia fazer isso com um tom de voz que trai os nossos verdadeiros sentimentos. Quando comecei a desejar ser uma pessoa serena que andava em humildade e mansidão, eu realmente tentava dizer a coisa certa, mas ainda assim costumava sentir que havia ofendido as pessoas. Deus teve de me ensinar que embora minhas palavras tivessem melhorado, a atitude do meu coração não havia mudado, e isso era revelado no meu tom de voz. Eu podia dizer a Dave: "Você quer, por favor, apagar as luzes quando sair de um cômodo?" Não há nada de errado com essas palavras, mas se eu estiver sendo sarcástica ou crítica, isso será percebido pelo meu tom de voz e até pela minha linguagem corporal.

Gostaria de dizer que eu era naturalmente uma alma serena, mas não era, e tive de orar muito e fazer muitos exames de consciência enquanto progredia nessa área. Alguns de vocês podem ser naturalmente doces e mansos e, nesse caso, vocês podem não saber o quanto são abençoados. Talvez você tenha mais dificuldade em ser firme e em confrontar problemas quando é preciso. Mas se você for mais como eu era e tende a ser grosseiro ao lidar com as pessoas, eu o incentivo a começar imediatamente a orar, a estudar e a trabalhar com o Espírito Santo para ter uma língua serena que é uma árvore de vida.

Quando você pedir às pessoas de sua família imediata para fazerem alguma coisa, tente não parecer como se estivesse dando uma ordem. Seja gentil na sua maneira de pedir, e você provavelmente terá uma reação favorável. Houve um tempo em que um simples pedido meu para levar o lixo para fora parecia como uma ordem dada por um sargento do exército. Aprendi que não é essa a maneira de Jesus pedir as coisas, e podemos seguir o exemplo Dele com a Sua ajuda, se realmente quisermos.

    Quero que todos com quem me encontro se sintam melhor do que antes de me verem. Quero ministrar vida e sei que uma das principais maneiras de fazer isso é com as minhas palavras. Use as palavras cuidadosamente porque elas constituem umas das coisas mais poderosas que Deus lhe deu. E tome cuidado com o tom da sua voz, porque ele revela o seu coração.

CAPÍTULO
20

Cumprindo a Sua Palavra

Um dos "pecados cometidos pela boca" de que Deus me convenceu foi o de dizer às pessoas que eu iria fazer algo e depois não o fazer. Quando nos falta integridade, achamos fácil falar, mas se não sentimos vontade de cumprir o que dizemos, então não o fazemos. Deus sempre cumpre a Sua Palavra, e Ele espera que cumpramos a nossa. Isso significa que precisamos tomar muito cuidado com o que dizemos às pessoas que vamos fazer. Sim, esta é outra área em que precisamos tomar cuidado com o que dizemos.

Calcule o custo de tudo antes de se comprometer verbalmente em fazer algo. Pense no quanto vai lhe custar, em quanto tempo vai demorar, nos compromissos que você já tem e se acrescentar mais uma coisa irá deixá-lo estressado.

> Ela examina um [novo] campo antes de comprá-lo ou aceitá-lo [expandindo-se prudentemente e não negligenciando os seus deveres atuais assumindo outros deveres].
>
> — Provérbios 31:16

A mulher sábia não apenas quer evitar o estresse, mas também quer manter a sua integridade, de modo que pensa seriamente sobre as coisas antes de dizer que as fará. Pouparíamos grandes dificuldades na nossa vida se fizéssemos isso.

Um dos maiores problemas que encontramos hoje é lidar com pessoas que não fazem o que dizem que farão. Quando construímos nossa casa, foi absurda a frequência com que marcávamos uma hora com um empreiteiro ou de um técnico para fazer reparos e ele não aparecia nem mesmo telefonava para dizer que não poderia ir. Havíamos organizado nossa agenda em torno daquele compromisso garantindo que estaríamos em casa. Mas eles ignoravam totalmente o compromisso que haviam marcado.

Já é bastante ruim uma pessoa se comportar assim, mas quando um cristão faz isso, é duplamente ruim para mim. Recentemente, me perguntaram qual eu achava ser a coisa mais desafiadora quando estamos envolvidos em uma rede de comunicação com outras pessoas para atingir objetivos maiores. Respondi rapidamente: "Muitas pessoas simplesmente não fazem o que dizem que vão fazer". Não tenho tempo para esse tipo de comportamento a esta altura da minha vida, e só quero trabalhar com pessoas íntegras e comprometidas em fazer o que dizem que vão fazer. Haverá momentos em que chegaremos à conclusão de que não podemos cumprir com uma obrigação, mas, no mínimo, precisamos entrar em contato com a pessoa e dizer uma destas duas coisas: *nunca deveria ter lhe dito que faria isso. Falei movido pela emoção e agora estou vendo que não posso cumprir o que disse.* Ou explicar o que o impediu de cumprir sua palavra naquele momento e pedir que a pessoa o libere do compromisso.

Uma Consciência Culpada

Em minha opinião, todas as vezes que não cumprimos nossa palavra, isso pesa tremendamente na nossa consciência. Podemos ter nos tornado bons em ignorar isso ou talvez haja muitas coisas que nos fazem sentir culpados e não conseguimos distinguir exatamente qual é a fonte desse sentimento. Mas uma consciência culpada nos impede de nos sentirmos confiantes diante de Deus. O rei Davi era um homem que parecia ter uma grande confiança no seu relacionamento com Deus e ele costumava falar da sua integridade. Considere estes dois versículos:

> Guarda-me, Senhor, e livra-me; não me deixes envergonhado ou desapontado, porque a minha confiança e o meu refúgio estão em Ti. Preservem-me a integridade e a retidão, porque espero em Ti.
> — Salmos 25:20,21

Julga-me, ó SENHOR, pois tenho andado em minha integridade; tenho confiado [com expectativa] no SENHOR, dependido de Ti e confiado em Ti sem vacilar, e não me desviarei.
— Salmos 26:1

Você perceberá que Davi esperava com ousadia que Deus o livrasse dos seus inimigos, mencionando que ele andava em integridade e retidão. Sabemos que não conquistamos a ajuda de Deus pela nossa justiça, e que Ele costuma ajudar aqueles que não o merecem. Mas Davi era um homem que conhecia a Palavra de Deus e era esperado que ele vivesse com base nela. Acho interessante que ele mencionasse a sua integridade a Deus como uma razão pela qual ele devia ser preservado e liberto. Ele esperava que Deus o vingasse. Ele não podia fazer isso acontecer se estivesse com a consciência culpada.

Quando pecamos, podemos admiti-lo e pedir perdão a Deus, mas quando fazemos coisas erradas e damos desculpas para elas ou as ignoramos totalmente, elas pesam tremendamente na nossa consciência.

É importante cada um de nós fazer o melhor que pudermos em todas as áreas da vida. Deus espera que nos esforcemos pela excelência porque Ele é excelente. Parte de ser uma pessoa excelente é sempre fazer o que você diz às pessoas que fará. Até uma afirmação do tipo "Vou telefonar para você amanhã" deve ser vista como um compromisso que Deus espera que cumpramos.

Que o Seu Sim Seja Sim

Seja o seu sim simplesmente sim, e o seu não seja simplesmente não; qualquer coisa além disso procede do maligno.
— Mateus 5:37

Houve um tempo em um passado não muito distante, em que a palavra de um homem era a sua obrigação. Representava sua honra, e não cumprir sua palavra era algo impensável. Quando as pessoas faziam um acordo de negócios, não era necessário um contrato de vinte páginas abrangendo cada pequena coisa imaginável. Elas simplesmente entravam em acordo com um aperto de mão. É impressionante o quanto regredimos. Agora temos contratos elaborados, e mesmo que sejam quebrados, muitas vezes achamos que não podemos fazer nada a respeito.

Construímos uma casa nova e nos mudamos para ela há cinco anos. Era para ser um condomínio com 165 casas, e muitas promessas foram feitas com relação ao ótimo condomínio que teríamos. Pouco depois de nos mudarmos para nossa casa, fomos informados por alguns vizinhos furiosos que o reservatório de água para a comunidade só comportava água para 29 casas, e não para as 165 que deveriam ser construídas. De algum modo, o dono da propriedade não havia levado em conta a irrigação quando construiu o reservatório. Deveria ter sido um problema de fácil solução. Ele cometeu um erro e deveria tê-lo corrigido! Mas ele se recusou a assumir a responsabilidade, o que gerou um processo contra ele. Afinal, as pessoas precisam de água. Estaríamos dispostos a cavar um poço, mas as normas da subdivisão diziam que não se podia instalar nenhum poço.

Durante quatro anos, dezoito dos proprietários, inclusive nós, pagamos advogados para lidar com a situação enquanto o homem responsável dava uma desculpa atrás da outra para garantir atrasos no nosso sistema judicial. Em minha opinião, nenhum desses atrasos deveriam ter sido permitidos. Ele deveria ter simplesmente recebido ordens de corrigir o problema sem demora. Entretanto, considerando que é comum hoje as pessoas não cumprirem sua palavra, isso não aconteceu. Há cem anos, não se ouviria falar em uma situação como essa. Mas hoje literalmente centenas de milhares de processos são registrados para tentar fazer as pessoas fazerem o que prometeram fazer. Isso é muito triste.

Dave e eu realmente gostamos de assistir a filmes britânicos da era Vitoriana. Todos eram tão arrumados e educados e, é claro, não ser um homem ou uma mulher de palavra era algo impensável. Gostamos de dizer: "Já percorremos um longo caminho", e é verdade, mas será que progredimos, como gostamos de pensar ou na verdade estamos descendo perigosamente a ladeira da moral? Temos muitos problemas no nosso mundo de hoje, de modo que você poderia se sentir tentado a pensar que uma coisa pequena como fazer o que você se propôs é algo menor se comparado com o restante dos seus problemas. Permita-me discordar. Creio que a diminuição da integridade é a fonte de muitos outros problemas graves. A integridade é um dos fundamentos para se viver uma vida de acordo com o esperado por Deus. E não é só isso, ela também torna a nossa vida muito menos complicada! Pense nisso — não teríamos mais de temer ouvir o telefone tocar com alguém cobrando um compromisso que você não cumpriu.

Integridade é ser honesto e fazer a coisa certa em todas as situações. Não podemos obrigar os outros a fazer o que é certo, massa cada um de nós é responsável perante Deus e perante nós mesmos por fazê-lo. Nunca devemos ser o tipo de pessoa que diz "Todo mundo faz, então qual é o problema?" Mesmo que ninguém no mundo cumpra a sua palavra, devemos cumprir a nossa, simplesmente porque essa é a coisa certa a fazer.

A Doença da Língua Solta

As pessoas que têm o que chamo de "a doença da língua solta" são aquelas que dizem todo tipo de coisas, inclusive assumem compromissos, sem pensar sinceramente no que estão dizendo. Simplesmente adoram falar e fazem isso incessantemente.

> Desvia de ti a fala falsa e desonesta, e afasta de ti a conversa voluntariosa e contraditória.
> — Provérbios 4:24

Quando dizemos algo apenas por dizer ou não somos completamente honestos, isso pode ser algo sem importância para nós, mas aos olhos de Deus, não dissemos a verdade.

Sou culpada por ter tido a doença da língua solta e por ter sido corrigida por Deus, e essa foi a maneira de aprender a importância do que estou compartilhando com você. Lembro-me de uma vez ter dito vagamente a um casal que conhecemos na Flórida: "Vocês deveriam vir a St. Louis [onde moro] algum dia e passar uns dias conosco. Nós lhes mostraremos a cidade". Voltei para casa e não pensei mais no assunto, mas eles se lembraram e alguns meses depois telefonaram e perguntaram quando poderiam ir. Meu primeiro pensamento foi: *Preciso encontrar um jeito de me livrar disso, porque a última coisa que quero neste momento é ter companhia.* Eu disse que telefonaria de volta para eles e comecei a preparar a minha lista de desculpas que pretendia lhes dar quando Deus interrompeu o meu plano. Ele tratou muito seriamente comigo sobre a necessidade de cumprir a minha palavra e não dizer coisas vagamente sobre as quais eu nunca havia realmente pensado. Ele me mostrou que eu precisava incentivá-los a vir, e fazer o que disse que faria e mostrar-lhes a cidade. Ele me indicou que isso seria uma lição e que eu pensaria duas vezes antes de dizer algo daquele tipo no futuro.

Aquela família realmente veio, e eu aprendi uma lição, mas aquela não seria a última vez que eu precisaria ser lembrada da importância de cumprir minha palavra. Tento tomar cuidado até mesmo quando digo algo do tipo: "Vamos marcar um horário para almoçar" ou "Vou telefonar para você na semana que vem e podemos colocar a conversa em dia". A verdade é que costumamos dizer coisas como essas às pessoas para nos livrarmos delas, e não temos a intenção de vê-las ou de telefonar para elas e almoçar. Quando você se comprometer seriamente perante Deus a continuamente fazer o que diz que irá fazer sempre que possível, você tomará mais cuidado com o que diz.

Um comentário sem sentido que fazemos pode facilmente ser interpretado por quem ouve como uma promessa. Certa vez feri uma amiga profundamente em uma situação como essa. Eu lhe disse algo que ela interpretou como um compromisso de longo prazo e, na época, achei que de fato seria. Porém mais tarde Deus me levou em outra direção, e ela ficou magoada. Eu me senti péssima por não ter agido com mais sabedoria, e aprendi a dizer: "Faremos isto a não ser que Deus nos leve em uma direção diferente". Era isso que eu queria dizer quando falei com ela, mas na verdade não disse isso. Não há nada que eu deteste mais do que ferir as pessoas, e aprendi que muitas vezes faço isso quando estou com a "doença da língua solta".

> Na multidão de palavras não falta transgressão, mas aquele que reprime os lábios é prudente.
> — Provérbios 10:19

A esta altura você deve estar pensando em muitas coisas que disse às pessoas que faria e nunca cumpriu. Não há sentido em se sentir condenado, mas sugiro que se são coisas que você ainda pode fazer, seria bom fazê-las. Se não, você poderia pelo menos telefonar e pedir perdão! Ai! Estou certa que isso não parece muito empolgante, mas é a coisa certa a fazer.

Se aceitarmos o que a Palavra de Deus fala sobre as palavras que dizemos, teremos de levar esse assunto de "cumprir a nossa palavra" a sério. Podemos gerar problemas enormes para nós mesmos por simplesmente não sermos fiéis nesta área.

> O que guarda a sua boca conserva a sua vida, mas o que abre muito os lábios chega à ruína.
>
> — Provérbios 13:3

Gosto de pensar que ser sábio é fazer agora aquilo que me deixará satisfeito mais tarde. Isso significa que não posso tomar decisões com base nas minhas emoções, mas devo pensar sobre qualquer atitude antes de tomá-la. "A mente do sábio instrui a sua boca" (Provérbios 16:23). Você está deixando a sabedoria instruir sua boca ou está apenas falando e nem sequer prestando atenção ao que está dizendo?

Eis algumas coisas das quais fui convencida pessoalmente ou que alguém fez comigo e aprendi a não repetir:

- Se você disser que vai aparecer para um dia de trabalho voluntário na igreja, apareça! É fácil se oferecer, mas aparecer requer mais do que palavras.
- Se você confirmar que vai comparecer a uma recepção de casamento, a um chá de bebê ou a algum outro tipo de festa, certifique-se de ir ou de ligar e cancelar a sua reserva caso não possa ir. As pessoas que estão oferecendo a festa estão encomendando alimentos com base no seu compromisso, e não se importar se vão desperdiçar o dinheiro deles não é uma demonstração de integridade.
- Se você disser a alguém que vai telefonar de volta, faça isso!
- Se você disser a alguém que vai enviar alguma coisa para ele, certifique-se de enviá-la! Encontro pessoas que têm necessidades específicas e costumo sentir que devo enviar certo livro para elas. Assim que digo a elas que vou fazer isso, ligo para meu escritório e cuido para não me esquecer disso. "Esqueci" é uma boa desculpa, mas devemos tomar precauções para não nos esquecermos.

- Pague as suas contas quando você disser que vai pagá-las, e se por algum motivo você não puder, telefone e acerte uma nova data. Certa vez ouvi uma estatística que dizia que as igrejas são piores que qualquer instituição no que se refere à inadimplência. Que exemplo terrível para se dar ao mundo. É claro que nem todas as igrejas são assim, mas nenhuma delas deveria ser.
- Se você é um conferencista público e se comprometeu com uma palestra, não cancele só porque teve uma oferta melhor. Cumprir sua palavra deve ser mais importante do que uma oportunidade melhor.
- Se você é o dono de uma empresa ou tem autoridade dentro de uma companhia, e disser a um funcionário que ele terá um aumento dentro de um ano, certifique-se de cumprir o que disse antes de o ano terminar. Se você deixar que se passem três meses do prazo marcado, isso pode não significar nada para você, mas o empregado provavelmente está na expectativa aguardando uma notícia da sua parte. Faça o que você gostaria que alguém fizesse por você.
- Se você se comprometer com a conclusão de um projeto em uma determinada data, conclua-o. Se por algum motivo isso for impossível, telefone antes do prazo final prometido e peça uma prorrogação.
- Nunca diga a seus filhos que você fará alguma coisa e depois deixe de fazê-la, a não ser que você tenha um bom motivo, e nesse caso, explique-se bem. Se não fizermos o que dizemos aos nossos filhos que vamos fazer, não podemos esperar que eles sejam verdadeiros conosco.

Todas essas coisas são simplesmente o senso comum, mas vejo que o senso comum não é mais muito comum.

Você já disse a alguém que faria alguma coisa e depois, na próxima vez que viu essa pessoa, se sentiu constrangido e começou a dar desculpas? Você pode evitar esse problema praticando a sabedoria, pensando antes de falar e guardando sua boca.

> Aquele que guarda a sua boca e a sua língua poupa a si mesmo muitos problemas.
>
> — Provérbios 21:23

Não é Errado Dizer "Não"

Talvez o medo de dizer "não" às pessoas seja uma das razões pelas quais assumimos compromissos que não cumprimos. É verdade que todos que fazem um pedido querem ouvir um "sim", mas todos nós sabemos que isso simplesmente não é possível. Prefiro que alguém fique infeliz comigo porque eu disse "não" a deixar essa pessoa infeliz porque eu disse "sim" e não cumpri a minha palavra.

Um pastor conhecido me disse recentemente que frequentemente os membros da sua congregação o convidam para almoçar, e ele diz "não". Depois ele explica que não é possível para ele almoçar com todos os membros da igreja e realizar os seus deveres como pastor, mas ele lhes garante que existem pessoas qualificadas que podem suprir qualquer necessidade que tenham. Ele me disse que descobriu que quando as pessoas querem ajuda de verdade, não precisa ser necessariamente o pastor a ajudá-las, mas por outro lado, se querem simplesmente que ele lhes dê atenção, costumam ficar ofendidas.

Muitas pessoas não têm coragem de dizer "não". Não querem magoar as pessoas nem deixá-las zangadas, de modo que dizem "sim" sem ter a intenção de cumprir o que disseram ou dão desculpas que não se baseiam na verdade. Devemos seguir a direção do Espírito Santo e dizer "não" quando acreditamos que é isso que devemos fazer, e dizer "sim" somente quando acreditamos que é isso que devemos fazer. Somos responsáveis por sermos obedientes a Deus, e não por manter todos neste mundo felizes, fazendo tudo o que querem que façamos. Para mim, esta foi uma lição difícil de aprender, mas se não a tivesse aprendido, talvez não estivesse no ministério hoje. Teria ficado esgotada mental, emocional e fisicamente tentando fazer todas as coisas que todos achavam que eu deveria fazer.

Em geral, quando as pessoas nos pedem para fazermos coisas, não estão pensando no impacto que o pedido delas exerce sobre nós. Elas querem simplesmente que façamos algo por elas, e é até aí que o raciocínio delas vai. É bom fazer coisas pelas pessoas e procurar fazê-las felizes, mas se sentimos que nunca temos permissão para dizer "não", isso pode ser desastroso.

Estou lhe dando permissão para dizer "não". Deus já lhe deu permissão, mas caso você não tenha se dado conta disso ao ler a Sua Palavra, estou confirmando isso para você: NÃO É ERRADO DIZER "NÃO"!

CAPÍTULO 21

Vigie a Sua Boca

Aprenda isto e você progredirá, independentemente da situação: Algumas gramas para manter sua boca fechada são melhores do que uma tonelada de explicações.

— Autor desconhecido

Existem mais algumas áreas que dizem respeito a tomar cuidado com o que dizemos que vêm ao meu coração para discutir com você. Como dissemos, as palavras podem curar, mas também podem ferir. Podem construir ou derrubar. Podem encorajar ou desanimar. Podem abrir uma porta de bênção nas nossas próprias vidas ou podem abrir uma porta de destruição.

Propus-me a não transgredir com a minha boca.

— Salmos 17:3b

Brincadeiras Grosseiras

O apóstolo Paulo escreveu uma carta à igreja de Éfeso, e nela ele os incentivou a não se envolverem em conversas tolas e néscias ou em brincadeiras grosseiras. A brincadeira é algo que fazemos por diversão ou algo que é dito de maneira irônica. Todos nós gostamos de pessoas divertidas, mas não gostamos de ser a fonte do humor delas, principalmente se estiverem fazendo uma brincadeira com base em uma das nossas imperfeições ou falhas. Pode ser até engraçado uma vez, mas se isso continuar muitas vezes, quase sempre irá gerar uma ofensa.

Todos nós tivemos nossos sentimentos feridos por alguém que estava simplesmente tentando ser engraçado, e provavelmente todos nós ferimos os sentimentos de alguém enquanto tentávamos ser engraçados. Creio que a melhor política é tomar um cuidado especial quando brincarmos com as pessoas com respeito a qualquer erro que cometeram ou qualquer característica negativa que possuem, ou qualquer coisa nelas que seja incomum. Nunca brinque com as pessoas que estão acima do peso com relação ao peso delas nem com homens carecas com referência à calvície deles, nem com pessoas extremamente altas ou baixas por causa da altura delas. Posso lhe garantir que elas são sensíveis a essas áreas, e ainda que possam rir com você, isso pode feri-las interiormente.

Conheço um homem que é naturalmente muito engraçado, e quando estou perto dele, rio sem parar, mas nunca o ouvi ser rude com ninguém para conseguir fazer as pessoas rirem. Se tivermos de debochar das outras pessoas para sermos engraçados, então não somos realmente engraçados — somos apenas rudes. As pessoas verdadeiramente engraçadas geralmente não precisam "tentar" ser engraçadas — elas simplesmente o são — e na maior parte do tempo nem sequer percebem isso. Como qualquer dom que Deus nos dá, ele flui naturalmente sem muito esforço. Creio que algumas pessoas são ungidas ou dotadas por Deus para fazer as outras rirem, mas ainda assim precisam usar de sabedoria.

Na minha pregação, uso exemplos de Dave com frequência, e tento tomar muito cuidado para não parecer rude ou desrespeitosa. Mas algumas vezes eu disse coisas que feriram os sentimentos dele, e sempre sei quando isso acontece. Peço desculpas de forma rápida e abundante, porque a última coisa que quero fazer é magoar alguém enquanto estou pregando a Palavra de Deus.

Nunca tente fazer alguém rir à custa de outra pessoa. Até as pessoas que são muito seguras não gostam que brinquem com suas imperfeições. Minha voz é bastante grave para uma mulher, e na verdade não me sinto insegura por isso, mas se alguém ficar brincando comigo por causa disso, estou certa de que isso me deixaria constrangida.

Pouco tempo atrás, Dave cometeu um erro em alguma coisa (felizmente, não lembro o que foi), e brinquei com ele por causa disso na frente de algumas pessoas. Imediatamente, percebi que havia feito a coisa errada. Estava tentando ser engraçada, mas ele se sentiu constrangido e diminuído. Uma mulher deveria ter mais juízo e não provocar seu marido a respeito de um erro que ele cometeu, porque isso simplesmente não é sábio! Se dissermos alguma coisa, deve ser algo como: "Querido, não foi nada demais. Cometo erros piores que esse o tempo todo".

Assisti a um filme na noite passada que tinha um bom exemplo do que estou falando. Robert e Emma estavam em uma festa e alguém perguntou a Emma por que ela e Robert não estavam dançando. Ela respondeu sem hesitar: "Robert não dança bem e não quer fazer nada que não faça bem porque isso fere o seu orgulho".

Emma não pensou mais no seu comentário, e na sua mente ela estava apenas brincando, mas Robert continuou pensando no assunto. No dia seguinte, ele disse a Emma que ela o havia envergonhado na frente dos amigos deles e havia feito com que ele se sentisse diminuído. Ela disse: "Oh, Robert, eu estava apenas brincando". Robert respondeu: "Não, você não estava brincando, estava fazendo questão de dizer a mim e aos nossos amigos que você acha que eu sou uma pessoa orgulhosa, e isso me magoou". Há vezes em que usamos a frase "Estou apenas brincando" como uma desculpa para dizer às pessoas coisas que sentimos a respeito delas, mas não temos a coragem de discutir com elas da maneira adequada. Devemos ser sempre diretos ao falar e nunca dizer coisas com um sentido oculto.

Não Brinque com o que Deus Não Acha Engraçado!

Os *talk shows* (literalmente, "shows de fala") são muito populares nos dias de hoje. O nome é apropriado, porque tudo o que eles fazem é "falar", mas raramente dizem algo que verdadeiramente valha a pena ser ouvido. Na verdade, frequentemente, eles simplesmente ridicularizam as pessoas. Creio que somos todos culpados às vezes por rirmos de coisas que Deus absolutamente não acha engraçadas.

Não creio que as autoridades do governo devam ser ridicularizadas, e isso acontece frequentemente nos *talk shows*. Mesmo que não gostemos deles, não devemos ridicularizá-los. Ore por eles, mas não faça piada sobre o seu comportamento errado. Os resultados de suas escolhas erradas não são engaçados para a nação, e não são algo que não se deva levar a sério. Agora, você deve estar pensando: *ah, vamos lá, Joyce, pega leve. As pessoas estão apenas tentando se divertir.* Mas tudo que você tem a fazer é se perguntar como se sentiria se você fosse a pessoa que está sendo ridicularizada. Você não gostaria disso, e eu também não. Lembre-se da Regra de Ouro: "Faça aos outros o que você gostaria que fizessem a você".

Não Use o Nome do Senhor em Vão

Usar o nome de Deus em vão é muito mais do que vinculá-lo a uma frase corriqueira do tipo "Deus me livre". Significa usá-lo inutilmente ou de maneira frívola.

> Você não usará nem repetirá o nome do SENHOR seu Deus em vão [isto é, de forma banal ou frívola, em falsas afirmações ou de forma profana]; porque o SENHOR não terá por inocente aquele que tomar o Seu nome em vão.
>
> — Êxodo 20:7

Ouvimos os nomes "Deus" ou "Jesus" serem usados frequentemente e muitas vezes por pessoas que não têm absolutamente nenhum relacionamento com Ele. Afirmações do tipo "Ai, meu Deus" são repetidas muitas vezes nos programas de televisão de uma maneira que absolutamente não tem qualquer sinceridade por trás delas. "Pelo amor de Deus" é outra afirmação usada com frequência, quando o que está acontecendo não tem nada a ver com Deus. Você já se perguntou por que o nome de Deus é usado com tanta frequência em um mundo onde muitas pessoas afirmam nem sequer acreditar que Ele existe? Eu já, e creio que isso talvez evidencie que elas acreditam mais do que querem admitir.

Estou frequentemente cercada de cristãos que dizem "Ai meu Deus", quando se surpreendem com alguma coisa ou mesmo quando olham pela janela e veem muita neve no chão. Acho que precisamos ser mais sinceros na maneira de usarmos o nome de Deus. Honre o Seu nome usando-o quando você estiver verdadeiramente clamando por Ele em oração, louvor ou adoração, mas nunca de forma banal ou frívola.

Dizendo a Verdade

Quando o sistema judiciário começou a exigir que as testemunhas colocassem a mão sobre a Bíblia e confessassem: "Prometo dizer a verdade, somente a verdade e nada mais que a verdade, e que Deus me ajude", as pessoas viviam em um tempo muito diferente. Era um tempo em que a verdade era muito importante para a maioria das pessoas. Os tribunais ainda fazem isso hoje, mas poucas pessoas sequer entendem ou se importam com o que estão dizendo, e isso é triste. Mentir é muito comum hoje em dia. Os adultos fazem isso na frente de seus filhos e depois ficam furiosos quando os filhos mentem para eles.

Você já disse a seu filho para falar a alguém no telefone que você não estava em casa simplesmente porque não estava com vontade de conversar? Nesse caso, você encorajou seu filho a mentir. Você já telefonou para o seu emprego e disse que não poderia ir porque estava doente, quando na verdade você simplesmente queria fazer outra coisa naquele dia? Você já chegou atrasado a um compromisso e deu a desculpa de que ficou preso no trânsito pesado, quando na verdade você não saiu de casa na hora em que deveria ter saído? As crianças costumam mentir para se livrarem de problemas e os adultos costumam fazer o mesmo. Um dos Dez Mandamentos é "Não darás falso testemunho". Em outras palavras: "Não minta". Portanto, dizer a verdade, mesmo quando é difícil, deve ser muito importante para Deus.

Alguém me contou um segredo certa vez e me pediu para não contar a mais ninguém. Eu disse que não o faria, mas fiz. Ela descobriu e perguntou-me se eu era a pessoa que havia contado, e eu rapidamente disse "não", porque não queria estragar a nossa amizade. Assim que desliguei o telefone, o Espírito Santo me convenceu de que eu havia dito uma mentira, e Ele não me deixou em paz até que por fim telefonei novamente para a pessoa e contei-lhe a verdade. Aquele incidente foi tão constrangedor para mim que nunca o esquecerei, e ensinou-me uma boa lição. Não podemos de forma alguma mentir e achar que está tudo bem. Não existe a "pequena mentira branca". Uma mentira é uma mentira, e Deus nos ordena a dizer sempre a verdade.

A Bíblia menciona sete coisas que o Senhor odeia, e uma língua mentirosa é uma delas (ver Provérbios 6:16-19).

Porque a minha boca proferirá a verdade, e a impiedade é detestável e repulsiva aos meus lábios. São justas (retas e justificadas perante Deus) todas as palavras da minha boca: não há nelas nenhuma coisa tortuosa nem contrária à verdade.

— Provérbios 8:7,8

Satanás é conhecido como o Enganador; ele é um mentiroso e o pai de toda mentira, e a verdade não está nele (ver João 8:44). Deus, por outro lado, é a Verdade. Jesus disse "Eu sou o Caminho, a Verdade e a Vida, ninguém vem ao Pai a não ser por Mim" (João 14:6). Satanás mente para todos nós, e a única maneira de podermos reconhecer e resistir às suas mentiras é conhecendo a Palavra de Deus, que é a verdade!

Vivendo Verdadeiramente

Podemos mentir sem nem sequer abrir a nossa boca — dizendo que acreditamos em uma coisa e vivendo de uma maneira inteiramente diferente. Quando fazemos isso nossas vidas são mentiras. O apóstolo João disse que se dissermos que conhecemos a Deus e não guardarmos os Seus mandamentos, então somos mentirosos (ver 1 João 2:22). Ele também disse que se dissermos que amamos a Deus e odiarmos nossos irmãos em Cristo, então somos mentirosos (ver 1 João 4:20). Não apenas nossas vidas mentem quando fazemos essas coisas, como estamos mentindo para nós mesmos e não existe engano pior que enganar a si mesmo. Durante muitos anos, eu pensava que conhecia e amava a Deus, no entanto eu estava brava com alguém por alguma razão na maior parte do tempo. Estava vivendo em engano, e o fruto do engano era evidente em minha vida. Eu não tinha paz, alegria, sucesso real, estava passando por dificuldades financeiras constantes e estava confusa com relação à razão de ter esses problemas.

Aprendemos a verdade aprendendo a Palavra de Deus. Vivemos a verdade fazendo todo o esforço possível para viver de acordo com a Palavra de Deus, e quando falhamos, admitimos isso (dizemos a verdade) e pedimos a Deus para nos perdoar. E todos nós devemos ser totalmente comprometidos em dizer a verdade em todas as situações, ainda que fazer isso nos cause problemas ou constrangimentos.

Tome Cuidado com o Que Você Odeia

A palavra odiar significa "uma antipatia apaixonada e fervorosa". É um sentimento tão forte que em geral leva uma pessoa a atos hostis. Se vamos odiar alguma coisa, devemos ter certeza de odiar o que Deus odeia — que é o mal e toda maldade. Deus nos ordena a não odiar até mesmo os nossos inimigos, mas a amá-los e orarmos por eles. Desde o princípio dos tempos, começando com Caim e Abel, os homens odiaram uns aos outros, e isso só gerou assassinatos, guerras, violência e maldades de todo tipo.

Com que frequência você diz que odeia alguma coisa? Não diga coisas do tipo: "Odeio este tempo, odeio meu emprego, odeio meu cabelo, odeio meu bairro, odeio meu carro" — e principalmente nunca diga que você odeia outra pessoa.

Quanto mais falamos alguma coisa com nossa boca, mais dela nós temos. Falar sobre ódio só aumentará o sentimento de ódio em sua vida. Algumas pessoas cometem o erro de odiar suas vidas, quando deveriam aceitá-las e viver da melhor maneira possível. Odiar nossa vida não irá mudá-la, mas isso nos muda: nos torna amargos, ressentidos e invejosos. Sempre pensamos que queremos o que outra pessoa tem, mas deixamos de perceber que ela pode querer o que nós temos. Poucas pessoas aprendem a abençoada lição de amar a vida que têm e nunca se compararem nem comparem o que têm com ninguém.

Se você não gosta de alguma coisa em sua vida, então mude se puder. Se não gosta do seu emprego, procure um emprego diferente. Se não gosta do seu bairro, mude-se. Se não gosta do clima, você não pode mudá-lo, então mude a sua atitude. Mude o que você pode mudar e tenha a sabedoria para saber o que você não pode mudar. Aprenda a amar todas as coisas exceto o mal. Quanto mais você for cheio de pensamentos amorosos e quanto mais disser palavras amorosas, mais feliz você será.

Dizer que você odeia as coisas pode ser simplesmente um hábito que você adquiriu. É uma maneira de expressar o seu desprazer com alguma coisa, mas isso lhe faz algum bem? É claro que não. Você pode passar toda a sua vida odiando primeiro uma coisa e depois outra, e isso nunca tornará a sua vida melhor.

Se você tem odiado o seu percurso diário até o trabalho por causa do trânsito, decida-se a encontrar uma maneira de apreciá-lo. Pegue carona com pessoas de quem você gosta, coloque música para tocar, ore ou ouça CDs instrutivos e utilize o tempo para aprender. Conheci uma mulher há alguns dias que mencionou que ela dirige por uma hora e meia todos os dias até o trabalho. Perguntei-lhe se isso a incomoda e ela disse: "O percurso é lindo e amo o lugar onde trabalho e as pessoas com quem trabalho". Ela deu a resposta perfeita e o que ela disse me deixou ainda mais feliz. Muitas pessoas teriam dito: "Odeio dirigir, fico tão cansada de fazer isso duas vezes por dia, o emprego não vale a pena e as pessoas me irritam", mas tudo o que elas teriam feito seria se tornarem ainda mais infelizes.

Incentivo você a começar a verbalizar que gosta, aprecia e ama as coisas. Quanto mais o disser, mais você se sentirá assim.

Elimine a Palavra *Preocupação* do Seu Vocabulário

Eu me pergunto quantas vezes a afirmação "Estou preocupado porque..." entra na atmosfera? Milhões de pessoas usam essa frase possivelmente milhões de vezes ao longo de suas vidas, mas de que adianta? É vã, impotente, inútil e não nos ajuda em nada.

Se alguém lhe perguntasse "Você acha que se preocupar irá mudar a sua situação?" Estou certa de que você diria "não", então por que continuar se preocupando? A preocupação nunca muda nada, a não ser a nós mesmos. Comece a se ouvir e a ouvir as outras pessoas, e todas as vezes que você ouvir "Estou preocupado", diga a si mesmo: "Esta é uma afirmação inútil". Se percebermos a completa tolice disso, talvez parássemos de dizê-lo.

As pessoas dizem coisas como: *estou preocupado com a minha aposentadoria, estou preocupado com meus filhos, estou preocupado em ficar careca como meu pai, estou preocupado com as demissões no trabalho, estou preocupado com a economia mundial, estou preocupado com meu ganho de peso, estou preocupado em envelhecer*, e todo tipo de outras afirmações inúteis. Não se preocupe com a aposentadoria, planeje com antecedência e você terá paz nos seus anos de aposentadoria. Não se preocupe com o que peso que ganhou, mas coma direito e faça exercícios. Não se preocupe com nada, mas ore. Ore imediatamente e não demore!

A mera preocupação nos imobiliza; ficamos sentados nos preocupando e fazemos muito pouco que possa mudar nossa situação. A preocupação rouba a nossa força! Rouba nossa paz e alegria e nos faz envelhecer mais depressa. Algumas pessoas sentem que são obrigadas a se preocupar e dizem coisas tolas do tipo: "Não consigo evitar, sou do tipo que se preocupa". É claro que podemos evitar; do contrário Deus não teria nos dito para não nos preocuparmos.

Em vez de dizer "Estou preocupado", substitua essas palavras negativas e inúteis por "Confio em Deus". Quando dizemos que confiamos em Deus, isso libera o Seu poder para trabalhar em nossas vidas. Quando dizemos que estamos preocupados, isso o impede. Ainda que você tenha a tendência de se preocupar, pare de dizer isso. Estude a Palavra de Deus, lembre-se da Sua fidelidade para com você nas situações passadas, e esteja determinado a parar de desperdiçar o seu tempo se preocupando.

A vontade de Deus é que tenhamos a melhor vida possível, mas isso é impossível a não ser que aprendamos o poder das palavras e digamos coisas que nos beneficiam.

CAPÍTULO
22

Você Quer Mudar Sua Vida?

As nossas palavras nos pertencem, por isso precisamos ser responsáveis pela maneira como as utilizamos. Talvez se víssemos as palavras de modo diferente, nós as usaríamos de uma forma melhor. Elas são valiosas, são receptáculos de poder e podem gerar vida ou morte para nós e para todos os que as ouvem. Elas são um presente de Deus e, quando usadas adequadamente, são uns dos nossos maiores bens. Temos centenas de milhares de palavras flutuando dentro das nossas cabeças o dia inteiro, e precisamos escolher com cuidado quais vamos falar. A maioria de nós provavelmente passou muitos anos, senão toda a nossa vida, simplesmente falando sem sequer pensar. Algumas pessoas dizem: "Sou o tipo de pessoa que fala o que pensa", mas isso não a torna sábia ou alguém agradável para se estar.

Se você usa as suas palavras com sabedoria, então eu o felicito, mas se não, eu o incentivo a começar a pedir a Deus para ajudá-lo e a começar a fazer mudanças imediatamente. Quanto mais você melhorar sua maneira de falar, mais sua vida melhorará.

Lembre-se de que as palavras contêm o poder da vida e da morte (ver Provérbios 18:21), portanto quando dizemos as palavras erradas, estamos cometendo suicídio espiritual. Quando dizemos as palavras certas, estamos abençoando a nós mesmos e enchendo nossas vidas e a atmosfera em que estamos de vida, e vida mais que abundante!

Fatos ou Verdade?

Uma das melhores maneiras de ter a boca cheia de sabedoria é sempre falar a verdade em vez de meramente declarar os fatos. A Palavra de Deus é a verdade e ela prevalecerá sobre os fatos (as circunstâncias) ao nosso redor se a liberarmos através das nossas palavras.

Quais são alguns dos fatos da sua vida neste instante que você realmente quer ver transformados? Como você tem falado sobre eles? Você fala como se eles sempre fossem permanecer assim ou declara a Palavra de Deus sobre as montanhas da sua vida e diz a elas para se moverem? Se você tem dito a coisa certa, com que frequência o tem feito? Você é perseverante em declarar a Palavra de Deus a favor de sua vida? A perseverança sempre gera resultados. Nunca devemos nos cansar de fazer o que é certo porque colheremos no tempo devido.

Já compartilhei a importância de declarar a Palavra de Deus em outras partes deste livro, mas devo enfatizá-la novamente. Falar sobre o que pensamos, vemos e sentimos é uma das armadilhas mais fáceis de ficar desanimado. As coisas que vemos e sentimos são muito reais para nós, e as consideramos como a verdade sobre o que está acontecendo em nossas vidas. Mas elas não são a verdade; elas são fatos, e fatos podem mudar, mas a verdade nunca muda. Jesus é o mesmo ontem, hoje e eternamente. Ele não muda, mas Ele é capaz de mudar qualquer coisa em nossas vidas que precise de mudança.

Para ver o poder de Deus manifestado em nossas vidas de uma maneira impressionante, precisamos entrar em acordo com Ele e dizer o que Ele diz. Quero que você seja cheio da esperança de mudança porque não ter esperança é muito triste. Há pouco tempo fiz diversos tratamentos dentários e um dente tem estado dolorido desde o dia em que foi tratado, e isso foi há quase cinco meses. Dois dentistas diferentes me disseram que eles não veem nada de errado com o dente, por isso estou todos os dias esperando que ele melhore naquele dia e sigo dizendo: "Meu dente está melhor a cada dia". Adivinhe! Ele melhorou e já saí da cama há quatro horas e ainda não doeu! Às vezes as coisas simplesmente levam tempo, e podemos cooperar com o processo de cura em qualquer área das nossas vidas permanecendo positivos e falando palavras de esperança e fé.

Ainda que as palavras não mudem as circunstâncias imediatamente, elas farão de você uma pessoa mais agradável e alegre. Falar sobre os seus problemas só aumenta a ansiedade.

Como Reagir às Palavras Negativas das Outras Pessoas

Aprender a não sermos negativos e a tomar cuidado com as palavras que dizemos não impede que outras pessoas nos digam coisas que nos magoem ou tentem impedir o nosso progresso. Podemos ouvi-las e acreditar no que elas dizem ou podemos confiar na Palavra de Deus (a verdade) e acreditar no que Ele diz.

A história a seguir é engraçada, mas também revela uma verdade importante com a qual todos nós podemos aprender:

Um grupo de sapos estava viajando pela floresta, e dois deles caíram em um poço fundo. Todos os outros sapos se reuniram ao redor do poço. Quando viram o quanto era fundo, disseram aos dois sapos que eles já estavam praticamente mortos.

Os dois sapos ignoraram os comentários e tentaram saltar e sair do poço com todas as forças. Os outros sapos continuaram dizendo-lhes para pararem, porque podiam se considerar mortos. Por fim, um dos sapos deu ouvidos ao que os outros sapos estavam dizendo e desistiu. Ele caiu e morreu.

O outro sapo continuou a saltar o mais alto que podia. Mais uma vez, a multidão dos sapos gritava para ele parar com aquele sofrimento e simplesmente morrer. Ele saltava ainda mais alto e enfim conseguiu sair. Quando ele saiu, os outros sapos disseram: "Você não nos ouviu?" O sapo explicou-lhes que ele era surdo. Ele pensou que eles o estivessem encorajando o tempo todo.

Embora nenhum de nós quisesse ser surdo, há momentos em que precisamos agir como se fôssemos. Seria incrível o que as pessoas poderiam ser capazes de fazer com suas vidas se simplesmente acreditassem que podem. Precisamos não permitir que as palavras negativas dos outros nos afetem, porque, no fim das contas, não é a opinião delas que importa. O importante é o que Deus diz sobre nós na Sua Palavra, e o que acreditamos em relação a nós mesmos.

Um chefe da sinagoga chamado Jairo foi até Jesus e pediu-lhe que impusesse as mãos sobre sua filha doente para que ela fosse curada. Enquanto Jesus estava indo com ele, outra mulher que também precisava de cura parou Jesus, e Ele dedicou um tempo para ministrar a ela. Enquanto eles estavam parados, servos da casa de Jairo vieram e disseram que sua filha havia morrido e não havia necessidade de incomodar mais Jesus. Mas veja a resposta de Jesus a este relato:

> Ouvindo por alto, mas ignorando o que eles haviam dito, Jesus disse ao chefe da sinagoga: Não se alarme nem tenha medo; apenas continue crendo.
>
> — Marcos 5:36

Sempre amei esse versículo porque ele me ajuda a lembrar que há momentos em que absolutamente não devemos ouvir as coisas negativas que as pessoas nos dizem. O sapo saiu do poço porque acreditou que podia fazer isso. Foi uma vantagem para ele não poder ouvir os outros sapos dizendo-lhe seguidamente para parar de tentar e simplesmente morrer. A percepção dele se tornou a sua realidade. Ele acreditou que podia sair do poço e saiu. Você também pode sair de qualquer poço onde se encontre se apenas ouvir a Palavra de Deus, e nunca ouvir ninguém que lhe diga palavras de derrota e fracasso.

Você perdeu oportunidades em sua própria vida de fazer grandes coisas porque ouviu com muita atenção as palavras dos outros? Nesse caso, ainda não é tarde demais. Você pode começar neste exato momento a apagar as lembranças das palavras negativas que lhe foram ditas confessando a Palavra de Deus a seu respeito e com relação ao seu futuro em voz alta, até que ela se torne uma realidade em sua vida.

Você pode derrotar todas as palavras negativas que vierem à sua mente, e toda afirmação negativa que lhe for feita, empunhando a espada do Espírito, que é a Palavra de Deus. Empunhá-la significa usá-la, declará-la, meditar nela, crer nela e deixar que ela guie todos os seus atos.

> Porque a Palavra que Deus fala é viva e cheia de poder [tornando-a ativa, operante e eficaz]; ela é mais afiada do que qualquer espada de dois gumes, penetrando até à linha divisória do sopro de vida

(alma) e do espírito [imortal], e das juntas e medulas [das partes mais íntimas da nossa natureza], expondo, peneirando, analisando e julgando os próprios pensamentos e propósitos do coração.

— Hebreus 4:12

Digamos, por exemplo, que você esteja trabalhando em um projeto com várias outras pessoas, e absolutamente nada saiu como você esperava. Todos os dias havia algum tipo de problema que lhe gerou mais trabalho do que você havia previsto anteriormente. Juntamente com todos os outros, você está ficando cansado e esgotado. Seu pensamento está ficando cada vez mais negativo: "Isto nunca vai dar certo. Simplesmente não consigo terminar este trabalho; é difícil demais". Então as pessoas que estão trabalhando com você começam a dizer que querem desistir e consideram o projeto uma causa perdida. No fundo do seu coração, você acredita que deveria concluir a tarefa, mas para que isso aconteça, precisará reagir aos seus próprios pensamentos negativos e às palavras negativas dos outros. Você pode fazer isso empunhado a espada do Espírito e dizendo partes da Palavra de Deus que tratam da sua situação específica, como estas:

- Tudo posso em Cristo que me fortalece (Filipenses 4:13).
- Sou forte no Senhor e na força do Seu poder; extraio a minha força Dele (Efésios 6:10).
- Não sou movido por esses problemas e completarei o que comecei (Atos 20:24).
- Estou arraigado, firmado, forte, imutável e determinado em relação a este projeto (1 Pedro 5:9).

Esses versículos e outros como eles irão revesti-lo de poder para seguir o seu coração em vez de seguir a sua mente e as palavras dos outros. A Palavra de Deus só tem valor para nós quando acreditamos nela e a declaramos, agindo de acordo com ela.

Nunca entendi o poder das palavras até experimentar o poder da Palavra de Deus operando em minha própria vida. Posso dizer honestamente que aprender, crer e declarar a Palavra de Deus me transformou e mudou completamente a maneira como vejo a vida. A Palavra de Deus tem um poder inerente, e quando ela é liberada, esse poder explode em uma capacitação incrivelmente poderosa. Pense na Palavra de Deus da seguinte maneira: o inimigo está atacando-o, e na sua mão há uma granada. Tudo que você tem de fazer é puxar o pino e atirá-la. Você tem o equipamento que necessita para derrotar seus inimigos, e com certeza você não ficaria parado assistindo sua vida ser destruída. Entretanto, muitos cristãos fazem exatamente isso. Eles têm a Palavra de Deus, o equipamento necessário para derrotar seus inimigos e, no entanto, ficam em silêncio. Silêncio é concordância, de modo que se nos recusarmos a abrir nossas bocas e declararmos a Palavra de Deus, então estaremos concordando com as circunstâncias ao nosso redor e dando a elas um poder contínuo sobre nós.

Se você é como a maioria das pessoas, vai acabar dizendo alguma coisa, então é melhor que seja algo que possa ajudá-lo.

Não podemos impedir as outras pessoas de dizer coisas que preferiríamos não ouvir, mas podemos decidir por nós mesmos se vamos ouvi-las e levá-las a sério. Podemos decidir se vamos acreditar no que as pessoas dizem mais do que no que Deus disse a nosso respeito na Sua Palavra. As pessoas não podem mudar seu destino com as palavras delas a não ser que você permita. Meu pai me dizia repetidamente quando eu era garota que eu nunca seria nada na vida. Lembro-me de ficar deitada na cama à noite pensando: *algum dia, farei algo grande*. Parecia que quanto mais ele dizia que eu não poderia ter êxito, mais determinada eu ficava em provar que ele estava errado. Talvez eu fosse apenas teimosa, mas nesse caso, sou grata porque isso impediu que eu concordasse com ele. Não concorde com nada negativo que é dito a você ou sobre você.

Caso você tenha ouvido muitas coisas desanimadoras e negativas a seu próprio respeito, quero reverter o dano que foi feito dizendo algumas coisas boas a seu respeito:

- Você é uma pessoa especial, e sem você, o mundo estaria perdendo algo maravilhoso.
- Você pode fazer tudo o que se dispuser a fazer, desde que esteja dentro da vontade de Deus.
- Você é talentoso, dotado por Deus, e é capaz de realizar grandes coisas na sua vida.
- Você é incrivelmente único, e nunca precisa se comparar com ninguém. Seja a pessoa incrível que você é.

- Deus o ama incondicionalmente, e isso nunca mudará.
- Seu futuro é tão brilhante que precisará de óculos escuros para olhar para ele!

Um Momento de Decisão em Sua Vida

Não importa como foi a sua vida até agora, oro para que você faça da leitura deste livro um momento de decisão em sua vida. À medida que aplicar os princípios presentes ao longo deste livro, você verá mudanças positivas. Talvez esteja pensando: *eu gostaria de ter conhecido todos estes princípios há vinte anos*. Isso provavelmente teria sido bom, mas você os conhece agora, portanto não perca nem mais um dia. A partir de hoje, deixe que as suas palavras trabalhem para você e não contra você. Será necessário diligência e você não atingirá a perfeição imediatamente, mas seja grato porque você agora conhece o caminho para a vitória.

Eu mesma estou em uma jornada na qual busco somente usar minhas palavras para coisas que sejam benéficas para mim ou para os outros. Enquanto está fazendo a sua própria jornada, você pode lembrar que estou bem aqui ao seu lado, ainda crescendo e aprendendo.

Reconheço a convicção do Espírito Santo muito mais depressa agora quando digo alguma coisa que não deveria dizer, mas não permito que isso me condene. Sou grata porque sou mais sensível ao poder das minhas palavras, e recebo com alegria toda a correção que Deus me dá. Oro para que você não se sinta condenado todas as vezes que cometer um erro, porque isso só irá enfraquecê-lo e fará com que você cometa ainda mais erros. A convicção não pretende nos condenar, mas nos ajudar a admitir nossos erros — pedir e receber o perdão de Deus e seguir em frente para o próximo nível de vitória.

Eis uma boa confissão para fazer diariamente sobre as suas palavras:

> Não permito que nenhuma comunicação corrupta saia da minha boca, mas só digo o que é bom, edificante e enriquecedor (ver Efésios 4:29).
>
> Tomo cuidado com o que digo e não peco com a minha língua (ver Salmos 39:1). Guardo a minha língua e a minha alma dos problemas (ver Provérbios 21:23).

A minha língua é gentil e cheia de poder de cura (ver Provérbios 15:4).

Digo coisas excelentes e abro a minha boca para dizer as coisas certas. Sempre digo a verdade e nada perverso sai da minha boca (ver Provérbios 8:6-8).

Abro a minha boca com sabedoria, e a lei da bondade está na minha língua (ver Provérbios 31:26).

Meu discurso é cheio de graça e amor, e sei como responder a cada pessoa (ver Colossenses 4:6).

Encorajo você a ler o livro de Provérbios e a sublinhar cada passagem que fala sobre a boca, as nossas palavras ou a língua. Após fazer isso, você pode ler novamente o livro de Provérbios e fazer uma revisão rápida acerca do poder das palavras enquanto lê apenas as passagens que sublinhou.

Estou realmente empolgada por você porque sei o quanto mudar as suas palavras mudará a sua vida. Desfrute a sua jornada e lembre-se de agradecer a Deus por cada pedacinho de progresso que você fizer. Ninguém pode domar a língua, portanto ore diariamente e peça a ajuda de Deus para garantir que as palavras da sua boca e as meditações do seu coração sejam aceitáveis aos olhos Dele.

APÊNDICE

Dicionário da Palavra de Deus

A Palavra de Deus é a coisa mais poderosa da terra. No princípio, Ele disse: "Haja luz, e a luz se fez". Incentivo você a respeitar e valorizar a Palavra de Deus como o maior tesouro que você possui.

Deus exaltou o Seu nome e a Sua Palavra acima de tudo, e Ele exaltou a Sua Palavra acima até mesmo do Seu nome (ver Salmos 138:2). À medida que aprender a Palavra de Deus, crer nela, meditar nela e declará-la, você será transformado.

À medida que permanecemos na Palavra de Deus, somos transformados à Sua imagem de glória em glória (ver 2 Coríntios 3:18). A Palavra de Deus nos transforma! Precisamos ter a expectativa de permanecer nela. Isso significa que precisamos viver, habitar e continuar nela. Ler um livro ou memorizar alguns versículos sobre o poder das palavras não será o suficiente para ver mudanças permanentes em sua vida. Você precisará assumir um compromisso para toda a vida de estudar a Palavra de Deus e viver de acordo com ela.

A Palavra de Deus é prática e pode ser aplicada à sua vida todos os dias. Quero deixá-lo com um pequeno dicionário da Palavra de Deus com versículos que você pode declarar quando certas situações surgirem em sua vida. Espero que você acrescente mais versículos a ele e use-o diariamente.*

---

* Todos os versículos utilizados pela autora no original foram extraídos da versão *Amplified Bible* (Bíblia Amplificada) ainda não disponível em língua portuguesa. Para manter a riqueza do original, todos os versículos foram traduzidos livremente para o português.

Quando você sentir que não tem forças para continuar

- Tenho força para tudo em Cristo que me fortalece. Estou pronto para qualquer coisa e sou capaz de qualquer coisa através Dele que infunde em mim força interior; sou autossuficiente na suficiência de Cristo (Filipenses 4:13).
- O Senhor é meu Pastor [para me alimentar, guiar e proteger], de nada terei falta. Ele me faz deitar em pastos verdejantes [frescos, macios]; Ele me leva para junto das águas tranquilas de descanso. Ele refrigera e restaura a minha vida (meu ser); Ele me conduz pelas veredas da justiça [retidão e justificação perante Ele — não por mérito meu, mas] por amor do Seu nome. Sim, embora eu ande pelo vale [profundo e sem sol] da sombra da morte, não temerei mal algum, porque Tu estás comigo; a Tua vara [para proteger] e o Teu cajado [para guiar], me consolam. Tu preparas uma mesa diante de mim na presença dos meus inimigos. Tu unges a minha cabeça com óleo; a minha taça [cheia até à borda] transborda. Certamente somente a bondade, a misericórdia e o amor infalível me seguirão por todos os dias da minha vida e por todos os meus dias a casa do Senhor [e a Sua presença] será a minha habitação (Salmos 23).
- Portanto Eu lhes digo, parem de estar eternamente inquietos (ansiosos e preocupados) com a sua vida, com o que vocês vão comer ou com o que vão beber; ou com o seu corpo, com o que vão vestir. Não é a vida maior [em qualidade] que o alimento, e o corpo [muito superior e mais excelente] que as roupas? Olhem os pássaros no céu; eles não semeiam nem colhem, nem recolhem em celeiros, e no entanto, o seu Pai celestial continua alimentando-os. Acaso não valem vocês muito mais que eles? E qual de vocês, por se preocupar e ficar ansioso, pode acrescentar uma unidade de medida (cúbito) à sua estatura ou à duração da sua vida? E por que devem estar ansiosos quanto às roupas? Considerem os lírios do campo e aprendam completamente como eles crescem; eles não fiam nem tecem. Porém Eu lhes digo, nem mesmo Salomão em toda a sua magnificência (excelência, dignidade e graça) jamais se adornou como um deles.

Mas se Deus assim veste a relva do campo, que hoje está viva e verde e amanhã é lançada ao forno, não vestirá Ele com muito mais cuidado a vocês, ó homens de pequena fé? Portanto não se preocupem nem estejam ansiosos, dizendo o que vamos comer? Ou o que vamos beber? Ou o que vamos vestir? Porque os gentios (pagãos) desejam, anseiam e buscam diligentemente por essas coisas, e o seu Pai celestial sabe bem que vocês precisam de todas elas. Mas busquem (almejem e esforcem-se para ter) em primeiro lugar o Seu Reino e a Sua justiça (a Sua maneira de agir e de ser reto), e todas essas coisas juntas lhes serão acrescentadas (Mateus 6:25-33).

Quando você estiver zangado e amargo

- Deixem a ira e abandonem o furor; não se aflijam — isso só leva ao mal (Salmos 37:8).
- O Senhor é misericordioso e gracioso, lento em irar-se e abundante em misericórdia e bondade (Salmos 103:8).
- Aquele que é lento em irar-se tem grande entendimento, mas aquele que é de espírito apressado expõe e exalta a sua loucura (Provérbios 14:29).
- A resposta branda desvia a ira, mas as palavras duras atiçam a fúria (Provérbios 15:1).
- O homem de temperamento quente atiça a contenda, mas aquele que é lento em irar-se aplaca a disputa (Provérbios 15:18).
- O bom senso faz o homem refrear a sua ira, e a sua glória é ignorar a transgressão ou a ofensa (Provérbios 19:11).
- Não seja rápido no espírito para se irar ou se irritar, pois a ira e a irritação se abrigam no íntimo dos tolos (Eclesiastes 7:9).
- Quando se irarem, não pequem; não permitam que a sua ira (a sua exasperação, a sua fúria ou indignação) dure até que o sol se ponha (Efésios 4:26).
- Que toda amargura, indignação e ira (paixão, fúria, mau humor) e ressentimento (raiva, animosidade) e discussões (gritarias, clamores, disputas) e difamação (maledicência, linguagem abusiva ou blasfema) sejam banidas de vocês, com toda ma-

lícia (maldade, má vontade ou baixeza de qualquer espécie). E tornem-se úteis e gentis uns para com os outros, bondosos (compassivos, compreensivos, amorosos), perdoando-se uns aos outros [liberal e prontamente], assim como Deus em Cristo os perdoou (Efésios 4:31-32).
- Mas agora dispam-se e livrem-se [completamente] de todas estas coisas: ira, fúria, maus sentimentos para com os outros, maldições e difamações e palavras de baixo calão e pronunciamentos vergonhosos vindos dos seus lábios! (Colossenses 3:8).
- Entendam [isto], meus amados irmãos. Seja todo homem rápido para ouvir [um ouvinte pronto], lento para falar, lento para se ofender e se irar. Porque a ira do homem não promove a justiça de Deus [que Deus deseja e requer] (Tiago 1:19-20).

Quando você precisar de confiança

- Não te mandei Eu? Seja forte, vigoroso e muito corajoso. Não tema, nem desanime, porque o Senhor teu Deus é com você por onde você andar (Josué 1:9).
- Porque por Ti posso atravessar uma tropa, e pelo meu Deus posso saltar sobre uma muralha (Salmos 18:29).
- Confie (dependa, conte com e tenha confiança) no Senhor e faça o bem; assim você habitará na terra e se alimentará seguramente da Sua fidelidade e verdadeiramente será alimentado (Salmos 37:3).
- O meu coração está firme, ó Deus, meu coração está firme e confiante! Cantarei e louvarei (Salmos 57:7).
- Ó Senhor dos Exércitos, bem-aventurado (feliz, afortunado, digno de ser invejado) é o homem que em Ti confia [dependendo e acreditando em Ti, entregando tudo e confiantemente contando contigo, e isso sem medo ou preocupação!] (Salmos 84:12).
- O medo do homem lhe é um laço, mas aquele que depende, confia e coloca a sua confiança no Senhor está seguro e em alto lugar (Provérbios 29:25).
- Tu guardarás e conservarás em perfeita e constante paz aquele cuja mente [tanto a sua inclinação quanto o seu caráter] está fir-

mada em Ti, porque ele se entrega a Ti, depende de Ti e espera confiantemente em Ti (Isaías 26:3).
- Porque assim diz o Senhor Deus, o Santo de Israel. Ao voltarem [para Mim] e descansarem [em Mim] vocês serão salvos; na tranquilidade e na confiança estará a sua força (Isaías 30:15).
- Mas quanto a mim, buscarei ao Senhor e confiante Nele vigiarei; aguardarei com expectativa o Deus da minha salvação; o meu Deus me ouvirá (Miquéias 7:7).
- E estou convencido e certo disto, que Aquele que começou a boa obra em vocês continuará até o dia de Jesus Cristo [até o tempo da Sua vinda], desenvolvendo [essa boa obra] e aperfeiçoando e levando-a à plena finalização em vocês (Filipenses 1:6).
- Porque nós [cristãos] somos a verdadeira circuncisão, nós que adoramos a Deus em espírito e pelo Espírito de Deus e exultamos e nos gloriamos e nos orgulhamos em Jesus Cristo, e não colocamos a confiança ou dependência [no que somos] na carne, e nos privilégios externos e nas vantagens físicas e nas aparências externas (Filipenses 3:3).
- Aproximemo-nos então destemidamente, confiantemente e com ousadia do trono da graça (o trono do favor imerecido de Deus a nós pecadores), para que possamos receber misericórdia [pelas nossas falhas] e encontrar graça para socorro em tempo oportuno para toda necessidade [socorro apropriado e ajuda oportuna, que vem exatamente quando precisamos dela] (Hebreus 4:16).
- Portanto, não ponham de lado a sua confiança destemida, pois ela carrega uma grande e gloriosa compensação e recompensa (Hebreus 10:35).

Quando você estiver desanimado

- Eu lhes disse essas coisas para que em Mim vocês possam ter [perfeita] paz e confiança. No mundo vocês terão tribulações e provações e sofrimentos e frustrações; mas tenham bom ânimo [animem-se; sejam confiantes, firmes, destemidos]! Porque Eu venci o mundo. [Eu o privei do poder de lhes fazer mal e o conquistei para vocês] (João 16:33).

- Estamos certos e sabemos que [sendo Deus um parceiro no nosso trabalho] todas as coisas cooperam [e se encaixam em um plano] para o bem daqueles que amam a Deus e são chamados segundo o [Seu] projeto e propósito (Romanos 8:28).
- Somos cercados (pressionados) de todos os lados [perturbados e oprimidos de todas as maneiras], mas não esmagados; sofremos constrangimentos e ficamos perplexos e incapazes de encontrar uma saída, mas não somos levados ao desespero (2 Coríntios 4:8).
- Portanto não ficamos desanimados (totalmente abatidos, esgotados e desgastados pelo medo). Embora o nosso homem exterior esteja [progressivamente] decaindo e se desgastando, no entanto o nosso homem interior está sendo [progressivamente] renovado dia após dia. Porque a nossa leve e momentânea aflição (este leve sofrimento do tempo presente) está cada vez mais e mais abundantemente preparando e produzindo e realizando por nós um peso eterno de glória [além de toda medida, excedendo extremamente todas as comparações e todos os cálculos, uma vasta e transcendente glória e bem-aventurança eternas!] (2 Coríntios 4:16-17).
- Mas Ele me disse: "A Minha graça (o Meu favor e a Minha bondade e misericórdia) é suficiente para você [suficiente contra qualquer perigo e o capacita a suportar o problema corajosamente]; pois a Minha força e o Meu poder se aperfeiçoam (se cumprem e se completam) e se mostram mais eficazes na [sua] fraqueza". Portanto, ainda mais me gloriarei nas minhas fraquezas e enfermidades, para que a força e o poder de Cristo (o Messias) possam repousar (sim, possam levantar uma tenda e habitar) sobre mim! (2 Coríntios 12:9).
- Tenho forças para todas as coisas em Cristo que me capacita [estou pronto para qualquer coisa e sou capaz de qualquer coisa através Dele que me infunde força interior; sou autossuficiente na suficiência de Cristo] (Filipenses 4:13).

Quando você estiver deprimido

- É o Senhor quem vai adiante de vocês; Ele marchará com vocês; Ele não os deixará nem os abandonará; [que não haja covardia

ou hesitação, mas] não temam, nem fiquem quebrantados [no espírito — deprimidos, desanimados e intimidados pela inquietação] (Deuteronômio 31:8).
- Os olhos do Senhor estão sobre os [que são irredutivelmente] justos e os Seus ouvidos estão abertos para o seu clamor. A face do Senhor está contra aqueles que praticam o mal, para cortar a lembrança deles da face da terra. Quando os justos clamam por socorro, o Senhor ouve e os libera de todos os seus sofrimentos e problemas (Salmos 34:15-17).
- Por que está abatido, ó meu homem interior? E por que estás gemendo e ficando inquieto dentro de mim? Espera em Deus e aguarda-o com expectativa, porque ainda o louvarei, meu Socorro e meu Deus (Salmos 42:5).
- Aquele que habita no esconderijo do Altíssimo, permanecerá estável e fixo sob a sombra do Onipotente [a cujo poder nenhum inimigo pode resistir]. Direi do Senhor, Ele é o meu Refúgio e a minha Fortaleza, o meu Deus; Nele me firmarei e Dele dependerei e Nele confio! (Salmos 91:1-2).

Quando você tiver medo

- O Senhor é a minha Luz e a minha Salvação — a quem temerei? O Senhor é o Refúgio e a Fortaleza da minha vida — de quem terei medo? (Salmos 27:1).
- [Então] Ele o cobrirá com as Suas penas, e sob as Suas asas você confiará e encontrará abrigo; a Sua verdade e a Sua fidelidade são um escudo e um broquel. Você não temerá o terror da noite, nem a seta (os planos maus e as difamações do maligno) que voa de dia (Salmos 91:4-5).
- Ele não temerá más notícias; o seu coração está firmemente fixo, confiando (apoiando-se e estando confiante) no Senhor. O seu coração é firme, ele não terá medo enquanto espera para ver o seu desejo estabelecido sobre os seus adversários (Salmos 112:7-8).
- O temor do homem é laço, mas aquele que se apoia, confia e coloca a sua confiança no Senhor está seguro e colocado em alto lugar (Provérbios 112:7-8).

- Não tema [não há nada a temer] porque Eu estou com você; não olhe em volta aterrorizado e desanimado, porque Eu sou o seu Deus. Eu o fortalecerei e o fortificarei nas dificuldades, sim, eu o ajudarei; sim, Eu o sustentarei e o guardarei com a Minha destra [vitoriosa] de justiça e retidão (Isaías 41:10).
- Você será estabelecido em justiça (retidão, em conformidade com a vontade e a ordem de Deus): você estará longe até mesmo da ideia de opressão ou destruição, porque você não temerá o terror, porque ele não se aproximará de você (Isaías 54:14).
- Porque [Deus] Ele mesmo disse, de modo algum falharei com você, nem desistirei de você, nem o deixarei sem apoio. De modo algum, de modo algum, de modo algum o deixarei desprotegido, nem o abandonarei, nem o decepcionarei (não soltarei a Minha mão que o segura)! [É certo que não!] Portanto, anime-se e seja encorajado e diga confiantemente e com ousadia: O Senhor é o meu Ajudador; não serei tomado de alarme [não temerei nem ficarei aterrorizado]. O que me pode fazer o homem? (Hebreus 13:5-6).

Quando você precisar de cura

- Ele cura os de coração quebrantado e envolve as suas feridas [curando suas dores e suas tristezas] (Salmos 147:3).
- Então a sua luz brilhará como a manhã, e a sua cura (a sua restauração e o poder de uma nova vida) brotará rapidamente; a sua justiça (a sua retidão, a sua justiça e a sua justificação perante Deus) irá adiante de você [conduzindo-o à paz e à prosperidade], e a glória do Senhor será a sua retaguarda (Isaías 58:8).
- Cura-me, ó Senhor, e serei curado; salva-me, e serei salvo, pois Tu és o meu louvor (Jeremias 17:14).
- Porque Eu lhe restaurarei a saúde, e curarei as suas feridas, diz o Senhor, porque lhe chamaram proscrito, dizendo: esta é Sião, a quem ninguém busca e com quem ninguém se importa! (Jeremias 30:17).
- Está alguém entre vocês enfermo? Chame os presbíteros (os guias espirituais) da igreja. E eles orarão por ele, ungindo-o com

óleo no nome do Senhor. E a oração [que é] da fé salvará aquele que está enfermo, e o Senhor o restaurará; e se cometeu pecados, será perdoado (Tiago 5:14-15).

Quando você for abandonado

- Eu não lhe ordenei? Seja forte, vigoroso e muito corajoso. Não tenha medo, nem desanime, porque o Senhor seu Deus é com você por onde você andar (Josué 1:9).

Quando você for rejeitado ou traído

- Bem-aventurados são vocês quando as pessoas os injuriarem e os perseguirem e disserem todo tipo de coisas más contra vocês falsamente por causa de Mim. Fiquem alegres e supremamente felizes, pois a sua recompensa no céu é grande (forte e intensa), pois desta mesma forma as pessoas perseguiram os profetas que vieram antes de vocês (Mateus 5:11-12).
- Eis que estou com vocês todos os dias (eterna, uniformemente e em todas as ocasiões), até à consumação e o encerramento desta era. Amém (assim seja) (Mateus 28:20).
- Mas sempre que vocês entrarem em uma cidade e eles não os receberem nem aceitarem, nem lhes derem as boas-vindas, saiam pelas suas ruas e digam: até a poeira da sua cidade que se agarra aos nossos pés estamos limpando contra vocês; mas saibam e entendam isto: o Reino de Deus chegou até vocês (Lucas 10:10-11).
- O que diremos então a [tudo] isto? Se Deus é por nós, quem [pode ser] contra nós? [Quem pode ser nosso inimigo, se Deus está do nosso lado?] (Romanos 8:31).

Quando você estiver se sentindo sozinho

- E eis que estou com vocês e os guardarei (tomarei conta de vocês com cuidado, prestarei atenção em vocês) onde quer que vocês forem, e os trarei de volta a esta terra; porque Eu não os deixarei até que tenha feito tudo o que lhes disse (Gênesis 28:15).
- O Senhor não abandonará o Seu povo por amor ao Seu grande nome, porque agradou-lhe fazer de vocês um povo para Si (1 Samuel 12:22).

- [Senhor], volta-te para mim e seja gracioso para comigo, pois estou sozinho e aflito (Salmos 25:16).
- Ainda que meu pai e minha mãe me abandonassem, o Senhor me tomará [me adotará como Seu filho] (Salmos 27:10).
- Deus é o nosso Refúgio e Fortaleza [poderosa e impenetrável à tentação], um socorro muito presente e comprovado na hora da angústia (Salmos 46:1).
- Não os deixarei órfãos [sem consolo, desolados, enlutados, desprezados, desprotegidos]; eu voltarei para vocês (João 14:18).

Quando você precisar de ajuda na área financeira

- O Senhor ordenará a bênção sobre você no seu celeiro e em tudo o que você empreender. E Ele abençoará você na terra em que o Senhor seu Deus lhe dá... E o Senhor fará com que você tenha um excedente de prosperidade, através do fruto do seu corpo, do seu gado e da sua terra, na terra que o Senhor jurou aos seus pais lhe dar (Deuteronômio 28:8, 11).
- Os leõezinhos ficam sem alimento e passam fome, mas aqueles que buscam (indagam e solicitam) pelo Senhor [pelo direito da sua necessidade e com base na autoridade da Sua Palavra], nenhum deles terá falta de nenhuma coisa benéfica (Salmos 34:10).
- Tragam todos os dízimos (toda a décima parte da sua renda) para a casa do tesouro, para que haja alimento na Minha casa, e provem-Me agora nisso, diz o Senhor dos exércitos, se Eu não abrirei as janelas do céu para vocês e derramarei uma bênção tal que não haverá espaço suficiente para recebê-la (Malaquias 3:10).
- Mantenham-se livres de dívidas e não devam nada a ninguém, exceto o amor uns pelos outros; porque aquele que ama o seu próximo [que pratica o amor aos outros] cumpriu a Lei [com relação ao seu próximo, cumprindo todos os seus requisitos] (Romanos 13:8).
- E o meu Deus suprirá liberalmente (encherá ao máximo) todas as suas necessidades de acordo com as Suas riquezas em glória em Cristo Jesus (Filipenses 4:19).

- Apegue-se agora a Ele [concorde com Deus e mostre-se conformado com a Sua vontade] e tenha paz; com isso [você prosperará e um grande] bem lhe sobrevirá (Jó 22:21).

Quando você perder a sua alegria

- Porque no dia da angústia Ele me ocultará no Seu abrigo; no lugar secreto da Sua tenda Ele me esconderá; Ele me colocará no alto de uma rocha (Salmos 27:5).
- Minha alma, espera somente em Deus e submeta-se silenciosamente a Ele; pois a minha esperança e expectativa vêm Dele. Ele somente é a minha Rocha e a minha Salvação; Ele é a minha Defesa e a minha Fortaleza; não me abalarei (Salmos 62:5-6).
- Este é o meu consolo na minha aflição: que a Tua Palavra me reviveu e me deu vida (Salmos 119:50).
- Embora eu ande no meio da angústia, Tu me vivificas; Tu estenderás a Tua mão direita e me salvarás; o Senhor aperfeiçoará aquilo que me diz respeito; a Tua misericórdia e a Tua bondade, ó Senhor, duram para sempre — não abandones as obras das Tuas próprias mãos (Salmos 138:7-8).
- Que o nosso Senhor Jesus Cristo e Deus, nosso Pai, que nos amou e nos deu eterna consolação e encorajamento e esperança bem fundamentada através da [Sua] graça (favor imerecido), console e encoraje os seus corações e os fortaleça [os torne firmes e os mantenha inabaláveis] em toda boa obra e palavra (2 Tessalonicenses 2:16-17).

Quando você precisar de paz

- Tu protegerás e conservarás em perfeita e constante paz aquele cuja mente [tanto a sua inclinação quanto o seu caráter] está firmada em Ti, porque ele se entrega a Ti, depende de Ti e espera confiantemente em Ti (Isaías 26:3).
- Porque ainda que as montanhas se afastem e as colinas sejam abaladas ou removidas, o Meu amor e a Minha bondade não se afastarão de você nem a Minha aliança de paz e perfeição será removida, diz o Senhor, que se compadece de você (Isaías 54:10).

- A Minha paz Eu lhes deixo; a Minha [própria] paz Eu agora lhes dou e concedo. Não como o mundo a dá, Eu a dou a vocês. Não permitam que os seus corações se perturbem nem que tenham medo. [Parem de se permitir ficar agitados e perturbados; e não se permitam ter medo nem ficar intimidados, acovardados e inquietos] (João 14:27).
- E a paz de Deus [será sua, aquele estado tranquilo de uma alma segura da sua salvação por meio de Cristo, e assim, sem temer nada da parte de Deus e estando contente com a sua porção na terra, seja ela qual for, essa paz] que excede todo entendimento guarnecerá e montará guarda sobre o seu coração e a sua mente em Cristo Jesus (Filipenses 4:7).
- Ora, que o próprio Senhor da paz lhes conceda a Sua paz (a paz do Seu Reino) em todo o tempo e em todos os caminhos [sob todas as circunstâncias e condições, venha o que vier]. O Senhor [estará] com todos vocês (2 Tessalonicenses 3:16).

Quando você precisar de perdão

- Tem misericórdia de mim, ó Senhor, de acordo com o Teu amor imutável; de acordo com a multidão das Tuas ternas misericórdias e da Tua bondade, apaga as minhas transgressões. Lava-me completa [e repetidamente] da minha iniquidade e culpa e purifica-me e torna-me totalmente purificado do meu pecado! (Salmos 51:1-2).
- Purifica-me com hissopo, e serei limpo [cerimonialmente]; lava-me, e serei [verdadeiramente] mais alvo que a neve. Faz-me ouvir alegria e satisfação e estar satisfeito; que os ossos que Tu quebraste se alegrem. Esconde o Teu rosto dos meus pecados e apaga toda a minha culpa e as minhas iniquidades (Salmos 51:7-9).
- Mas Ele foi ferido pelas nossas transgressões, Ele foi moído pela nossa culpa e pelas nossas iniquidades; o castigo [necessário] para obter a paz e o bem-estar para nós estava sobre Ele, e com as chicotadas [que o feriram] fomos curados e feitos sãos (Isaías 53:5).

Quando você se sentir culpado e condenado

- Portanto, agora não há condenação (nem decreto de culpa ou erro) para aqueles que estão em Cristo Jesus, que vivem [e] andam não segundo os ditames da carne, mas segundo os ditames do Espírito. Porque a lei do Espírito de vida [que está] em Cristo Jesus [a lei do nosso novo ser] me libertou da lei do pecado e da morte (Romanos 8:1-2).
- Mas se Cristo vive em vocês, [então embora] o seu corpo [natural] esteja morto por causa do pecado e da culpa, o espírito está vivo por causa da justiça [que Ele lhes imputa] (Romanos 8:10).
- Quem fará qualquer acusação contra os eleitos de Deus [quando é] Deus quem os justifica [isto é, quem nos coloca em um relacionamento correto consigo mesmo? Quem se apresentará e acusará ou impedirá aqueles a quem Deus escolheu? Será Deus, que nos absolve?] (Romanos 8:33).
- Por amor a nós Ele fez Cristo, Aquele que não conheceu pecado, se tornar [praticamente] em pecado, para que Nele e através Dele pudéssemos nos tornar [dotados, vistos como estando nela e exemplos da] justiça de Deus [o que deveríamos ser, aprovados e aceitáveis e justificados perante Ele, pela Sua bondade] (2 Coríntios 5:21).

Quando você precisar de humildade

- Ele conduz os humildes para o que é certo e lhes ensina o Seu caminho (Salmos 25:9).
- O Senhor levanta os humildes e os oprimidos; Ele derruba os maus até o chão (Salmos 147:6).
- Bem-aventurados (felizes, dignos de ser invejados e espiritualmente prósperos — com alegria de viver e satisfação no favor e na salvação de Deus, independentemente das suas condições externas) são os pobres de espírito (os humildes, que se consideram insignificantes), porque deles é o Reino dos céus! (Mateus 5:3).

Quando você se sentir fraco

- Eu lhes disse essas coisas, para que em Mim vocês possam ter paz e confiança [perfeitas]. No mundo vocês têm tribulações, provações, tristezas e frustrações; mas tenham bom ânimo [animem-se; sejam confiantes, seguros, destemidos]! Porque Eu venci o mundo. [Eu o privei do seu poder de lhes fazer mal e o venci para vocês] (João 16:33).

Quando você precisar de justiça

- A retidão e a justiça são a base do Teu trono; a misericórdia, a bondade e a verdade vão adiante da Tua face (Salmos 89:14).
- A vingança é Minha, e a recompensa, no tempo em que o pé deles escorregar; porque o dia do desastre está às portas e a condenação deles não tarda (Deuteronômio 32:35).
- Não julguem, não critiquem nem condenem os outros, para que vocês não sejam julgados e criticados e condenados. Porque assim como vocês julgam, criticam e condenam outros, vocês serão julgados, criticados e condenados, e de acordo com a medida com que vocês costumam tratar os outros, vocês serão tratados (Mateus 7:1-2).
- Vinga-me, ó Senhor, pois tenho andado na minha integridade; tenho confiado [com expectativa] no Senhor, dependido Dele e me apoiado Nele sem vacilar e não me desviarei (Salmos 26:1).
- Porque o Senhor julgará e vingará o Seu povo, e Ele retardará os Seus juízos [manifestando a Sua justiça e misericórdia] e favorecerá os Seus servos [aqueles que cumprem os Seus termos de separação para Ele] (Salmos 135:14).
- Não se deixem vencer pelo mal, mas vençam (dominem) o mal com o bem (Romanos 12:21).

Quando você precisar de sabedoria

- O temor reverente e a adoração ao Senhor é o princípio da sabedoria e da habilidade [a essência primeira e primordial, o pré-requisito e o princípio fundamental]; um bom entendimento, sabedoria e significado têm todos aqueles que fazem [a vontade do Senhor]. O louvor deles a Deus dura para sempre (Salmos 111:10).

- Dependa do Senhor, confie Nele com todo o seu coração e mente e não se apoie na sua própria percepção ou entendimento. Em todos os seus caminhos, reconhece-o, e Ele direcionará e endireitará e aplainará as suas veredas. Não seja sábio aos seus próprios olhos; tema e adore o Senhor com temor reverente e desvie-se [inteiramente] do mal (Provérbios 3:5-7).
- Feliz (abençoado, afortunado, invejável) é o homem que encontra a Sabedoria habilidosa e piedosa, e o homem que obtém entendimento [extraindo-o da Palavra de Deus e das experiências da vida], porque o ganho dela é melhor que o ganho da prata, e o seu lucro é melhor que rubis; e nada que se possa desejar se compara a ela (Provérbios 3:13-15).
- Ouça o conselho, receba a instrução e aceite a correção, para que você possa ser sábio no tempo que está por vir (Provérbios 19:20).
- Se algum de vocês é deficiente em sabedoria, peça ao Deus doador [que dá] a todos liberalmente e com generosidade, sem censurar ou apontar erros, e lhes será dada (Tiago 1:5).

Quando você precisar de domínio próprio

- Porque Deus não nos deu espírito de timidez (de covardia, de temor covarde, servil e bajulador), mas [Ele nos deu um espírito] de poder, de amor, de calma, de uma mente equilibrada, de disciplina e domínio próprio (2 Timóteo 1:7).
- Não seja rápido no espírito para se irar ou se irritar, porque a ira e a irritação se abrigam no íntimo dos tolos (Eclesiastes 7:9).
- Tudo é permissível (lícito e legítimo) para mim; mas nem todas as coisas são úteis (boas para eu fazer, convenientes e proveitosas quando são consideradas com outras coisas). Tudo é lícito para mim, mas não me tornarei escravo de nada nem ficarei debaixo do seu poder (1 Coríntios 6:12).
- O amor suporta tudo e é paciente e bondoso; o amor nunca é invejoso nem arde em ciúmes, não se vangloria nem se gaba, não se porta arrogantemente. Ele não é soberbo (arrogante ou cheio de orgulho); ele não é rude (grosseiro), nem se porta inconvenientemente. O amor (o amor de Deus em nós) não insiste nos

seus próprios direitos ou no seu jeito, pois não é egocêntrico; não é melindroso ou ressentido; não leva em conta o mal que lhe é feito [não presta atenção ao mal sofrido] (1 Coríntios 13:4-5).
- Mas o fruto do Espírito [Santo] [a obra que a Sua presença interior realiza] é amor, alegria (satisfação), paz, paciência (um temperamento calmo, contido), bondade, benignidade (benevolência), fidelidade, mansidão (gentileza, humildade), domínio próprio (continência, controle). Contra essas coisas não há lei [que possa levantar acusação] (Gálatas 5:22-23).

Quando você sofrer uma perda
- Bendito o Deus e Pai de nosso Senhor Jesus Cristo, o Pai da compaixão (piedade e misericórdia) e o Deus [que é a Fonte] de todo consolo (consolação e encorajamento), que nos consola (conforta e encoraja) em todos os problemas (calamidades e aflições) para que também possamos ser capazes de consolar (confortar e encorajar) aqueles que estejam passando por algum tipo de problema ou sofrimento, com o consolo (conforto e encorajamento) com o qual nós mesmos somos consolados (confortados e encorajados) por Deus (2 Coríntios 1:3-4).
- Bem-aventurados os que choram, porque eles serão consolados (Mateus 5:4 NVI).
- Sim, ainda que eu ande pelo vale [profundo e sem sol] da sombra da morte, não temerei mal algum, porque Tu estás comigo; a Tua vara [para proteger] e o Teu cajado [para guiar], eles me consolam (Salmos 23:4).
- Os que semeiam com lágrimas colherão com alegria e cânticos (Salmos 126:5).
- E a vida deles será como um jardim regado, e eles não mais se entristecerão nem enfraquecerão. Então as virgens se alegrarão na dança, e também os jovens e velhos. Porque transformarei o lamento deles em alegria e os consolarei e os farei alegrarem-se em lugar da sua tristeza (Jeremias 31:11-13).
- Porque Eu sei as ideias e planos que tenho para vocês, diz o Senhor, ideias e planos de bem-estar e paz e não de mal, para lhe dar esperança no seu resultado final (Jeremias 29:11).

Quando você estiver enfrentando um novo desafio

- O Senhor é a minha Luz e a minha Salvação — a quem temerei? O Senhor é o Refúgio e a Fortaleza da minha vida — de quem terei medo? (Salmos 27:1).
- Seja forte, corajoso e firme; não tenha medo nem fique aterrorizado diante deles, porque é o Senhor seu Deus quem vai com você; Ele não irá decepcioná-lo nem o abandonará (Deuteronômio 31:6).
- Espere pelo Senhor; seja corajoso e tenha bom ânimo e que o seu coração seja vigoroso e resistente. Sim, espere pelo Senhor (Salmos 27:14).
- Tenho força para tudo em Cristo que me fortalece [estou pronto para qualquer coisa e sou capaz de tudo através Dele que me infunde força interior; sou autossuficiente na suficiência de Cristo] (Filipenses 4:13).
- Pois nos tornamos parceiros de Cristo (o Messias) e compartilhamos tudo o que Ele tem para nós, se tão somente mantivermos a confiança que tivemos no princípio e a expectativa original assegurada [em virtude da qual somos crentes] firme e inabalável até o fim (Hebreus 3:14).
- [Estimulado] pela fé, Abraão, quando foi chamado, obedeceu e seguiu para um lugar que estava destinado a receber como herança; e ele foi, embora não soubesse nem se perturbasse em saber para onde devia ir (Hebreus 11:8).

Quando você estiver enfrentando a tentação

- Deus é o nosso Refúgio e Fortaleza [poderosa e impenetrável à tentação], um socorro bem presente e comprovado na angústia (Salmos 46:1).
- No dia em que chamei, Tu me respondeste; e Tu me fortaleceste com poder (força e inflexibilidade à tentação) no meu homem interior (Salmos 138:3).
- Ensina-me a fazer a Tua vontade, pois Tu és o meu Deus; guie-me o Teu bom Espírito por um caminho plano e pela terra da retidão (Salmos 143:10).

- Meu filho, se os pecadores o seduzirem, não consinta (Provérbios 1:10).
- Meu filho, não ande no caminho com eles; retenha os seus pés de trilhar o caminho deles, pois os pés deles correm para o mal, e eles se apressam para derramar sangue (Provérbios 1:16).
- Não entre no caminho dos maus, e não passe pelo caminho dos homens malignos. Evite-o, não ande entre nele; desvie-se dele e siga em frente (Provérbios 4:14-15).
- Mantenham-se despertos, vigiem e orem [constantemente], para que vocês não caiam em tentação; o espírito na verdade está pronto, mas a carne é fraca (Marcos 14:38).
- E quando Ele chegou ao lugar, disse-lhes: orem para que vocês não caiam em tentação (Lucas 22:40).
- Não se deixem vencer pelo mal, mas vençam (dominem) o mal com o bem (Romanos 12:21).
- Bem-aventurado (feliz, digno de ser invejado) é o homem que é paciente na provação e resiste na tentação, pois quando ele tiver passado no teste e sido aprovado, receberá a coroa da vida [do vencedor] que Deus prometeu àqueles que o amam (Tiago 1:12).
- Portanto sujeitem-se a Deus. Resistam ao diabo [fiquem firmes contra ele] e ele fugirá de vocês (Tiago 4:7).

Quando você precisar ter pensamentos melhores

- Dependa do Senhor, confie Nele de todo o seu coração e mente e não se firme na sua própria percepção ou entendimento. Em todos os seus caminhos, reconheça-o, e Ele direcionará, endireitará e aplainará as suas veredas (Provérbios 3:5-6).
- Não se conformem com este mundo (esta era), [formada e adaptada aos seus costumes externos superficiais], mas transformem-se pela renovação [total] da sua mente [por seus novos ideais e sua nova atitude], para que vocês possam provar [por si mesmos] qual é a boa, aceitável e perfeita vontade de Deus, e até aquilo que é bom, aceitável e perfeito [aos olhos Dele para vocês] (Romanos 12:2).

- Despojem-se da sua antiga natureza [dispam-se e descartem o seu velho ser não renovado] que caracterizou a sua antiga maneira de viver e se corrompe por paixões e desejos que procedem do engano; e sejam constantemente renovados no espírito da sua mente [tendo uma nova atitude mental e espiritual], e revistam-se da nova natureza (o *eu* regenerado) criado à imagem de Deus [celeste], em verdadeira justiça e santidade (Efésios 4:22-24).
- Quanto ao mais, irmãos, tudo que é verdadeiro, tudo que é digno de reverência e é honroso e decente, tudo que é justo, tudo que é puro, tudo que é amável e digno de amor, tudo que é bondoso e encantador e gracioso, se alguma virtude e excelência há, se há algo digno de louvor, pensem nessas coisas [fixem suas mentes nelas] (Filipenses 4:8).

Sobre a Autora

Joyce Meyer é uma das líderes no ensino prático da Bíblia no mundo. Renomada autora de *best-sellers* pelo *New York Times*, seus livros ajudaram milhões de pessoas a encontrarem esperança e restauração através de Jesus Cristo.

Através dos *Ministérios Joyce Meyer*, ela ensina sobre centenas de assuntos, é autora de mais de 80 livros e realiza aproximadamente quinze conferências por ano. Até hoje, mais de doze milhões de seus livros foram distribuídos mundialmente, e em 2007 mais de três milhões de cópias foram vendidas. Joyce também tem um programa de TV e de rádio, *Desfrutando a Vida Diária*®, o qual é transmitido mundialmente para uma audiência potencial de três bilhões de pessoas. Acesse seus programas a qualquer hora no site www.joycemeyer.com.br

Após ter sofrido abuso sexual quando criança e a dor de um primeiro casamento emocionalmente abusivo, Joyce descobriu a liberdade de viver vitoriosamente aplicando a Palavra de Deus à sua vida, e deseja ajudar outras pessoas a fazerem o mesmo. Desde sua batalha contra um câncer no seio até as lutas da vida diária, Joyce Meyer fala de forma aberta e prática sobre sua experiência, para que outros possam aplicar o que ela aprendeu às suas vidas.

Ao longo dos anos, Deus tem dado a Joyce muitas oportunidades de compartilhar seu testemunho e a mensagem de mudança de vida do Evangelho. De fato, a revista *Time* a selecionou como uma das mais influentes líderes evangélicas dos Estados Unidos. Sua vida é um incrível testemunho do dinâmico e restaurador trabalho de Jesus Cristo. Ela crê e ensina que, independente do passado da pessoa ou dos erros cometidos, Deus tem um lugar para ela, e pode ajudá-la em seus caminhos para desfrutar a vida diária.

Joyce tem um merecido PhD em teologia pela Universidade Life Christian em Tampa, Flórida; um honorário doutorado em divindade pela Universidade Oral Roberts em Tulsa, Oklahoma; e um honorário doutorado em teologia sacra pela Universidade Grand Canyon em Phoenix, Arizona. Joyce e seu marido, Dave, são casados há mais de quarenta anos e são pais de quatro filhos adultos. Dave e Joyce Meyer vivem atualmente em St. Louis, Missouri.